Papel de raquis de banano en Costa Rica

Historia y aspectos técnicos, periodo de 1976 a 2002

Papel de raquis de banano en Costa Rica

Historia y aspectos técnicos, periodo de 1976 a 2002

María Lorena Blanco Rojas

EDITORIAL
UCR

Investigadora:
Ing. María Lorena Blanco Rojas, M. Sc.
Coordinadora
Sección de Celulosa y Papel
Laboratorio de Productos Forestales
Instituto de Investigaciones en Ingeniería
UNIVERSIDAD DE COSTA RICA

Diagramación, ilustración y diseño de portada:
D. I. Marcela Quirós Garita
Coordinadora
Centro de Diseño y Ayudas Audiovisuales
Instituto de Investigaciones en Ingeniería
UNIVERSIDAD DE COSTA RICA

Revisión filológica:
Licda. Mayté Bolaños Mora

Colaboración especial:
Ing. Paola Gamboa Hernández
Laboratorio de Productos Forestales
Instituto de Investigaciones en Ingeniería
UNIVERSIDAD DE COSTA RICA

Portada:
La mitad superior es Banana Fiber Paper™, papel hecho de una mezcla de papel posconsumidor sin blanquear y que contiene un mínimo del 5% de fibra de banano.

La mitad inferior es parte de una hoja hecha a nivel de laboratorio a partir de pulpa hidrotérmica, sin blanquear, del raquis de banano (*Musa Giant Cavendishi*), refinada por 30 min en refinador Yokro a 48 SR, aumentada cuatrocientas veces (Propiedades mostradas en el Cuadro 6.4, página 63).

676.1
B638p   Blanco Rojas, María Lorena.
       Papel de raquis de banano en Costa Rica : historia y aspectos técnicos, periodo de 1976 a 2002 / María Lorena Blanco Rojas. – 1. ed. – San José, C.R. : Editorial UCR, 2008.
       xx, 103 p. : il.

       ISBN 978-9968-46-061-3

       1. PAPEL – INDUSTRIA Y COMERCIO. 2. FIBRAS. 3. BANANO – COSTA RICA. I. Título.

       CIP/1757
       CC/SIBDI.UCR

Edición aprobada por la Comisión Editorial de la Universidad de Costa Rica
Primera edición: 2008

© Editorial Universidad de Costa Rica, Ciudad Universitaria "Rodrigo Facio". San José, Costa Rica.
Apdo. 11501-2060 • Tel.: 2207 5310 • Fax: 2207 5257 • E-mail: administracion@editorial.ucr.ac.cr • Página web: www.editorial.ucr.ac.cr

AGRADECIMIENTOS

Al Dr. José Antonio Martínez-Ortíz, por su apoyo y solidaridad en la elaboración de este proyecto.

A la ingeniera Marcela Shedden y al ingeniero Carlos Manuel Gómez Odio, por su apoyo, colaboración y revisión del libro.

Al Ph. D. Carlos Hernández, de la EARTH y al señor Gerardo Lara de Polypapel, por su colaboración en la información suministrada.

Al Ing. Fernando Silesky Guevara, Vicedecano de la Facultad de Ingeniería, por su apoyo y por creer en este proyecto.

Al señor Antonio Carlos Franco Barboza del Departamento de Produtos Básicos da Madeira del Instituto de Pesquisas Tecnológicas del Estado de São Paulo, de la Universidade de São Paulo, Brasil, por su paciencia y destrezas en la elaboración de los cortes microtómicos del material.

A la Licda. Isabel María Carpio Malavassi y al biólogo Luis Alberto Cruz Meléndez en la toma de micrografías de los cortes microtómicos.

A todas las personas que de una u otra forma colaboraron con el desarrollo de esta idea.

*A mis hijas, Catherine y Natalia Inés,
espectadoras, colaboradoras y compañeras de muchas horas
en la aventura de obtener la información necesaria
para la construcción de este trabajo.*

Siembra tu semilla en la mañana
y en la tarde no cese tu mano de hacer lo mismo,
pues nunca sabés cuál de las dos nacerá primero,
si ésta o aquélla, y si ambas nacieran al mismo tiempo,
mejor será.

Eclesiastés 11:6

CONTENIDO

Presentación.   xv
Prólogo   xvii

CAPÍTULO I:

**Reseña histórica de la investigación realizada
en Costa Rica sobre el pulpeo del raquis de banano**

Breve historia del banano en Costa Rica   1
Impacto ambiental de las bananeras   4
Historia de la investigación realizada en la Universidad de
Costa Rica sobre el pulpeo del raquis de banano   7
La primera planta de producción de papel de banano en
Costa Rica.   12
La Red Artesanal Santa Rosa   16
Polypapel.   18
Artpapel.   19
Costa Rica Natural   21
Artista plástica Grace Herrera Amighetti.   22

CAPÍTULO II:

**Fibras no maderables en la producción
de pasta celulósica**

Revisión bibliográfica   23
Residuos de la actividad bananera   25
Uso de las fibras del raquis de banano en la
producción de pulpa celulósica   26

CAPÍTULO III:

**Caracterización anatómica y fisicoquímica del raquis
de banano**

Revisión bibliográfica.   29
Caracterización anatómica, macroscópica y microscópica
del raquis de banano *in natura*   37
    Estructura transversal   37
    Estructura longitudinal   39
    Anatomía y morfometría de fibras   40
    Diámetro de los elementos traqueales   42
Caracterización química del raquis de banano.   44
Conclusiones.   44

CAPÍTULO IV:

Beneficiado de fibras anuales

Revisión bibliográfica 47

Beneficiado de plantas anuales a nivel industrial. 53

CAPÍTULO V:

Pulpeo de fibras de banano

Pulpa mecánica. 59

Pulpa hidrotérmica 61

Pulpa química 61

Pulpa a la soda fría 71

Pulpa termoquímica a la soda 72

Pulpas para disolución 73

Encolado 76

Mezcla de pulpas 77

Evaluación de las pulpas para fabricar las mezclas. 77

Conclusiones 91

Referencias bibliográficas. 95

PRESENTACIÓN

Costa Rica es el primer país en el mundo en estudiar diferentes procesos de pulpeo con el fin de obtener pulpa para papel de raquis de banano, subproducto de la actividad bananera, principal producto agrícola de exportación y por varios periodos en la historia, principal fuente de entrada de divisas del país.

Además, es el primer país en el mundo en fabricar y comercializar papel obtenido a partir del raquis de banano y otros productos obtenidos de la fibra, a saber: separadores para libros, papel y sobres para cartas, cajas para diversos usos, carpetas, folletos, artesanías, bloques de hojas de diversos tamaños y otros productos de interés comercial; hechos que han colocado a Costa Rica, a nivel mundial, como la pionera en la utilización de este tipo de fibra para uso papelero.

Por otro lado, hemos pasado a la esfera mundial como un país preocupado por aspectos ambientales que ayudan al equilibrio del Planeta y que han generado un papel *sui generis* y una fuente de materia prima para la elaboración de otro tipo de productos.

La idea de estudiar el raquis del banano para la producción de celulosa o papel, surge del Dr. José Antonio Martínez-Ortíz, profesor de la Escuela de Ingeniería Química de la Universidad de Costa Rica, en los inicios de la década de los 70´s. Han pasado más de treinta años de este acontecimiento y en esta casa de estudios se ha generado muchísima investigación básica y experiencia tecnológica, que sirvieron de base a la puesta en marcha de proyectos piloto por otras universidades y entidades privadas como la EARTH, EL INDIO, el CENTRO DE INVESTIGACIONES DE FIBRAS, que han desembocado en el auge actual del papel de banano.

El acervo cultural generado con esfuerzo costarricense en la producción de celulosa a partir de un desecho agrícola, en un país sin cultura papelera, se presenta en este documento a la comunidad mundial, privando la honestidad científica en los resultados presentados. Cabe mencionar que, en los últimos años, otros países han incursionando en la producción de celulosa a partir de este residuo de la actividad bananera.

Con la edición de este libro se espera lograr una amplia difusión y una mayor transferencia de tecnología a países de la Región Centroamericana y otros cercanos geográficamente y grandes productores de banano, como es el caso de Ecuador, para dar un aprovechamiento a un residuo orgánico, tomando como tarea de todos la contribución al equilibrio mundial del Planeta.

El libro presenta a la comunidad mundial la recopilación histórica de todos los esfuerzos ejecutados durante casi treinta años, por investigadores, profesores y estudiantes de la Universidad de Costa Rica en proyectos de investigación científica básica y aplicada, para utilizar el raquis del banano en la producción de papel y productos afines, creo que la transmisión de estos conocimientos a las futuras generaciones, es parte de la proyección cultural y social.

María Lorena Blanco Rojas

PRÓLOGO

Los países deben buscar resolver los problemas que obstaculizan su desarrollo. La verdadera riqueza de los pueblos, que crece en forma continua, reside en la ingeniosidad y creatividad de sus habitantes. Cuanto más pobre sea, económicamente, un país, sus moradores deben ejercer con mayor frecuencia, intensidad y disciplina el pensar, fuera de los marcos tradicionales de referencia en la búsqueda de soluciones novedosas a los problemas a que se enfrentan y que parecieran no tener solución, si se intenta resolverlos aplicando la lógica convencional.

No hay plantaciones de banano en los países desarrollados. Sus habitantes solo se comen el banano, no lo siembran. El problema de ellos sería cómo desechar la cáscara. Nosotros, quienes vivimos en los países donde se cultiva el banano, debemos buscarle soluciones a los problemas que ocasiona el cultivo del banano ya que, como es intuitivamente conocido, las actividades económicas no solo generan beneficios, sino también ocasionan una serie de problemas, a los cuales debemos dar respuesta.

El raquis del banano es un desecho de las plantas empacadoras de banano que, hasta ahora, no se le ha dado utilización comercial a gran escala, a pesar de que sólo en Costa Rica se disponen de alrededor de doscientas mil toneladas métricas anuales. El banano de rechazo, en cambio, es un subproducto porque se le ha encontrado usos: fabricación de alimentos y venta del producto fresco en los mercados locales para consumo humano y animal. Parte de nuestro quehacer científico y tecnológico ha sido el convertir el raquis del banano en un subproducto de la actividad bananera, utilizándolo para producir un bien que sea de utilidad al hombre, como por ejemplo, papel.

La M.Sc. María Lorena Blanco Rojas le da, con este libro, una justa perspectiva histórica a la búsqueda, que se ha extendido por muchos años, de cómo utilizar la fibra del raquis del banano en la fabricación de papel. El camino ha sido largo, lleno de obstáculos y carente de recursos materiales, científicos y tecnológicos, aunque pletórico de voluntades, deseos e ideas. Es probable que este camino continúe siendo, como hasta ahora lo ha sido, el que logre romper el círculo vicioso y el raquis del banano adquiera un valor económico similar a la actividad que le da origen: la bananera. El lector podrá recorrer la historia de este desarrollo tecnológico en las páginas de este libro; historia que ha sido escrita, casi en su totalidad, por costarricenses sin recursos, pero llenos de creatividad, valor e inventiva para superar una infinidad de vicisitudes.

Las ideas por sí mismas no son ni buenas ni malas, adquieren una u otra característica al materializarse. Al igual que los conocimientos, el talento, la inteligencia y las destrezas personales, las ideas carecen de valor por sí mismas. Lo trascendente es la utilidad que se les dé. Para materializarse, las ideas requieren conocimientos dirigidos y concentrados y de la aceptación y el esfuerzo continuado de un sinnúmero de personas, quienes con su voluntad, su deteraminación y sus acciones las moldean y las alimentan hasta hacerlas germinar y, finalmente, producen los anhelados frutos.

Cuando una idea emerge y va contra la lógica y el sentido común prevaleciente, se rechaza de inmediato. Cuando se demuestra su factibilidad tecnológica, se redefine lo posible. Esto ha sucedido con la historia del papel utilizando el raquis del banano. Inicialmente cuando la idea de darle uso al raquis del banano parecía absurda y descabellada era, por lo tanto, huérfana. Ahora que la idea emerge como genial, sus progenitores abundan. A lo largo de la historia de la humanidad sobran ejemplos. La historia del desarrollo tecnológico de la producción de papel utilizando el raquis del banano, no ha sido la excepción.

Las ideas que se transforman en realidad son aquellas que son adoptadas por muchas personas, ya que sólo la conjunción de esfuerzos suministra la energía y la fuerza necesarias para transformar una idea en realidad. Así ha resultado en este caso.

Las personas somos rehenes de nuestras creencias, pensamientos y costumbres; sólo hacemos lo que creemos posible. Lo primero, entonces, es creer que las cosas son posibles, luego llevarlas a la práctica; sólo así encontraremos soluciones viables y novedosas. Es necesario romper con estos patrones de pensamiento para liberar nuestra creatividad. Debemos darnos permiso de pensar fuera de nuestros rutinarios patrones para buscar soluciones innovadoras a los problemas que nos presenta la vida en sociedad y a los retos que enfrentamos, y así poder lograr el desarrollo económico, educativo y social que nos permita mejorar nuestra calidad de vida y que el progreso alcance a los estratos más desposeídos de la sociedad.

Que esta búsqueda incansable para encontrar una solución a un problema autóctono y arraigado en la esencia misma del costarricense, el del raquis del banano, sirva de ejemplo a las generaciones futuras de lo que se puede lograr con la ingeniosidad y voluntad, a pesar de lo descabellada que pueda parecer alguna idea y la falta de apoyo y recursos con que se cuente. No puede negarse que el trabajo coordinado, encausado, perseverante e inteligente produce resultados que parecieran milagrosos.

No me cabe duda que el periplo a lo largo de estos años de darle utilidad al raquis del banano terminará por culminar con éxito para beneficio de muchos. Esto pone en perspectiva que, cuando se pone la inventiva y creatividad humana al servicio de una causa que busca resolver los problemas que aquejan a nuestra sociedad, se alcanza el éxito.

Gracias María Lorena, por haber concebido la idea de escribir este libro y por la disciplina y perseverancia de haberlo hecho realidad. Gracias por darnos este regalo que será de gran utilidad a los estudiosos, no sólo del tema específico que se trata en este libro, sino del desarrollo de la ciencia y la tecnología en países de limitados recursos. Con este documento, las futuras generaciones podrán conocer cómo se escribió la historia del papel del raquis del banano y de la destacada participación que hemos jugado los costarricenses escribiéndola. Hemos logrado, en este caso, romper un paradigma que nos había cegado en la búsqueda de una solución propia a uno de nuestros problemas. Que lo logrado en el caso del raquis del banano sirva de inspiración a otros para que se aventuren a buscar soluciones fuera de las limitaciones de lo razonable.

José A. Martínez-Ortiz, Ph. D.
San José, Costa Rica
Setiembre del 2002

CAPÍTULO I

RESEÑA HISTÓRICA DE LA INVESTIGACIÓN REALIZADA EN COSTA RICA SOBRE EL PULPEO DEL RAQUIS DE BANANO

BREVE HISTORIA DEL BANANO EN COSTA RICA

El cultivo del banano en Costa Rica se inicia en 1872, lográndose a lo largo de más de cien años un desarrollo y mejoramiento de la actividad, razón por la cual, Costa Rica se ubica como el primer país en productividad por hectárea y el segundo exportador de banano, después de Ecuador. El banano constituye, actualmente, el primer producto de exportación de Costa Rica.

El banano, fue introducido en Santo Domingo en el siglo XV por los portugueses y a Costa Rica en 1872, por el ingeniero estadounidense Minor Cooper Keith. El primer embarque de exportación se realizó el 7 de febrero de 1880 y consistió en trescientos sesenta racimos de banano que fueron enviados rumbo a New York, Estados Unidos, en el barco Earnholn.

En 1884 se firmó el contrato Soto-Keith, que otorgaba a Keith el derecho a sembrar durante noventa y nueve años, ochocientos acres de terreno situados a la orilla de noventa y ocho millas de ferrocarril, con la obligación de construir cincuenta y dos nuevas millas de línea férrea.

En 1885, Keith crea la United Fruit Company, la cual tuvo a cargo la siembra, el transporte y la comercialización de la fruta, convirtiéndose en un monopolio. Por causa de la enfermedad denominada Mal de Panamá, la empresa se trasladó a la zona del Pacífico Sur del país.

En 1956 llega al país la Standard Fruit Company, la cual tenía plantaciones en Honduras, e introduce el clon Valery Cavendishii a la Zona Atlántica. Este clon, resistente al Mal de Panamá, desplaza al clon Gros Michel, que se sembró de 1872 a 1960 y que era resistente a la sigatoka negra. En los años 60´s llegan dos nuevas compañías al país: BANDECO y COBAL, además se da en esta época la exportación de banano en caja y una mayor productividad por hectárea.

En 1974 se crea la Unión de Países Exportadores de Banano (UPEB) a la cual pertenecen: Colombia, Costa Rica, Guatemala, Honduras, Nicaragua, Panamá, República Dominicana y Venezuela; el objetivo de la UPEB, es ampliar los mercados y defender precios remunerativos y justos para las exportaciones del banano.

En 1980 se introduce el clon Gran Enano, el cual da una alta productividad por hectárea, pero necesita un alto consumo de agroquímicos y por ende, una alta obligación social.

En los últimos diez años, la cantidad de hectáreas sembradas aumentó en un 170%, lo que causó un aumento de cajas exportadas del 140%. En 1990 la actividad dejó al país, por concepto de divisas, trescientos dieciséis millones de dólares, lo que representó dentro de las exportaciones totales del país un 22% y para el año 2000, dejó al país por concepto de divisas, quinientos veintiséis millones de dólares (CORBANA, 2002).

Es de notar que una actividad de tanta relevancia e incidencia a nivel nacional, nos lleve a buscar el aprovechamiento y mejoramiento de cada uno de los productos, subproductos y desechos que se producen, y a valorar los efectos sociales y ecológicos inherentes a su desarrollo.

La situación de la actividad bananera en Costa Rica, para el periodo de 1990 al 2002, con respecto a las hectáreas plantadas de banano, productividad, cajas de banano exportadas y valor de esas exportaciones en dólares, con base en las estadísticas de la Corporación Bananera Nacional (CORBANA, 1992; CORBANA, 1999, CORBANA, 2000 y CORBANA, 2002), se presentan en el Cuadro 1.1.

El origen del comercio internacional de Costa Rica ha estado ligado a las producciones de café y de banano. En los años sesentas del siglo veinte la importancia relativa de ambos productos alcanzaba hasta el 85% del total del valor de los bienes exportados. A finales de los años ochentas, el valor de las exportaciones bananeras alcanzaba alrededor de trescientos millones de dólares que representaban el 20% de las exportaciones totales del país. (CORBANA).

En Costa Rica, según la CÁMARA NACIONAL DE BANANEROS (1995), la actividad bananera representaba más de un tercio del valor agropecuario nacional, un 35% en 1994 y aproximadamente un 26% del valor de las exportaciones, con valores cercanos a quinientos millones de dólares.

En los años noventas, la cantidad de hectáreas sembradas aumentó en un 170%, lo que causó un aumento de cajas exportadas del 140%. En 1990 la actividad dejó al país, por concepto de divisas, trescientos dieciséis millones de dólares, lo que representó dentro de las exportaciones totales del país un 22% y para el año 2000, dejó al país por concepto de divisas, quinientos veintiséis millones de dólares (CORBANA, 2002). Las principales compañías productoras y comercializadoras del banano son: BANDECO, STANDARD FRUIT CO., COBAL y CARIBANA.

Cuadro 1.1

Estadísticas de la actividad bananera para el periodo de 1990 al 2002

Año	Área de producción	Exportación bananera	Rendimiento	Valor de las exportaciones
	(ha)	(Cajas de 18,14 kg)	(Cajas/ha/año)	(millones US$/año)
1990	28 296	74 138 370	2731	
1991	33 400	80 854 142	2620	
1992	38 119	91 357 749	2421	
1993	49 394	101 063 665	2397	
1994	52 633	103 175 625	1960	561
1995	52 166	112 089 259	2149	694
1996	49 190	106 579 009	2167	611
1997	49 192	101 173 266	2057	574
1998	46 968	115 827 662	2463	663
1999	48 887	116 494 492	2383	650
2000	47 982	103 822 716	2168	538
2001	44 423	96 000 000	2157	493
2002	42 182	89 000 000	2121	473

REFERENCIAS: (CORBANA, 1992; CORBANA, 1999, CORBANA, 2000 y CORBANA, 2002).

El récord de exportación se alcanzó en el año de 1999 cuando Costa Rica exportó un total de ciento dieciséis millones de cajas, aproximadamente dos millones de toneladas.

Según Hernández[1], la actividad bananera en Costa Rica tiene una productividad de cuarenta toneladas de banano por hectárea, equivalente a mil setecientos cuarenta racimos por hectárea; el banano es exportado en cajas que contienen, cada una, cerca de 18,14 kg de banano obteniéndose en promedio 1,15 cajas por cada racimo de banano. En relación con el raquis, este tiene una masa promedio de 2,05 kg y una humedad del 94 % en base húmeda. Estos datos y los rendimientos de los procesos de obtención de fibras, permiten el cálculo de la materia prima disponible en el país para su aprovechamiento en la extracción de fibras de celulosa.

La actividad bananera es una actividad de gran relevancia e incidencia sobre la economía y la sociedad costarricense, así que la búsqueda del mejor aprovechamiento y mejoramiento de cada uno de los procesos involucrados, así como de los productos, los subproductos y los desechos que se producen, incide directamente en aspectos sociales, económicos y ecológicos.

IMPACTO AMBIENTAL DE LAS BANANERAS

Durante este último siglo de crecimiento y desarrollo en el sector agrícola de nuestro país, ha prevalecido la razón económica, sin considerar el ecosistema. El hombre ha sido la figura central de estos tiempos y los recursos naturales han estado a su servicio en forma ilimitada.

Como resultado de esto, se escucha el clamor de los ecologistas para que se respete el ecosistema y se preserve la biodiversidad. Se introduce entonces la filosofía de la sostenibilidad, que toma en cuenta al hombre como una parte importante de un sistema global y se afronta la realidad de que los recursos naturales son limitados (HERNÁNDEZ, 1990).

La actividad bananera, frecuentemente, se señala como una fuente importante de contaminación y se la relaciona con graves problemas de salud ocupacional y ambiental. Basta con visitar las

---

[1] HERNÁNDEZ, C. (Costa Rica) Fotocopia cedida por el autor de la conferencia **Tratamiento de los desechos generados por el cultivo del banano,** dictada en Honduras, 1991.

zonas productoras, para poder afirmar que la actividad bananera modifica los ecosistemas naturales y culturales.

Los principales desechos sólidos que genera esta actividad, según (SOTO, 1990) son los siguientes:

* banano de rechazo
* vástagos y hojas
* pinzote o raquis
* bolsas plásticas
* recipientes de plaguicidas
* material de polipropileno para apuntalamiento de fruta
* desechos líquidos

Según el Ing. Moisés Soto en una exposición durante el Seminario "Problemática ambiental relacionada con el cultivo del banano en Costa Rica", si se toma como ejemplo una producción anual de ciento cincuenta millones de cajas de banano se generan, entre otros:

* 2 500 ton de polietileno de embolse
* 2 500 ton de polietileno de empaque
* 2 500 ton de polipropileno
* 225 000 ton de raquis
* 200 000 ton de banano de rechazo
* 110 000 ton de fertilizantes
* 8 300 ton de nematicida

Para reducir el impacto causado por estos desechos, el Ing. Soto propone varias alternativas:

* reducir, mediante la sustitución o mejoramiento, el uso de contaminantes
* reusar, todos aquellos materiales que ahora son considerados como desechos y que poseen un potencial adicional aprovechable
* reciclar o convertir los desechos en materiales de mayor valor agregado

En Costa Rica se denomina raquis de banano o pinzote al eje central del racimo de banano, que constituye un 7% del mismo; posee una masa promedio de 2,05 kg, y se ha considerado el índice de cajas de banano a número de raquis como 1,15. El raquis de banano es un desecho orgánico, que se obtiene en grandes cantidades, sobre todo en las estaciones de empaque de la fruta. En estos casos, mediante un sistema de monocables los racimos de banano llegan a las empacadoras, donde se les quita la bolsa plástica que los cubre, se les cortan las manos de banano y queda el raquis limpio.

Luego, los raquis se amontonan cerca de la empacadora y posteriormente se llevan a botaderos a cielo abierto, se dejan en las orillas de las carreteras o se botan en los ríos, a veces hasta con pedazos de plástico, lo que produce serios problemas ecológicos: malos olores, muerte de animales, contaminación de ríos y otras zonas. Algunas empresas han tomada medidas de manejo más adecuado de los raquis, por ejemplo, el colocarlos en trincheras de tierra hasta lograr su descomposición.

En otros casos, cuando el desmane se realiza dentro de la plantación, el raquis queda directamente ahí, biodegradándose y devolviendo al suelo alguna cantidad de nutrientes y materia orgánica.

Se propone entonces extraer las fibras celulósicas del pinzote las cuales presentan importantes ventajas para su utilización:

- son un recurso renovable y disponible mundialmente
- son biodegradables
- no generan gases tóxicos ni dejan residuo sólido en combustión
- su densidad es aproximadamente la mitad de la de las fibras de vidrio
- no producen abrasión en las máquinas de procesamiento

Las fibras se comercializan a nivel mundial para múltiples y diferentes usos de las industrias de papel, de polímeros, farmacéuticas y otros.

- adsorción de derrames de petróleo y otros productos
- fibras de celulosa para refuerzo de materiales para construcción interna en la industria automovilística y la aviación
- en la industria papelera
- fabricación de materiales para empaque: cajas, separadores, esquineros, etc.
- fibras de celulosa para refuerzo para polímeros
- fabricación de materiales compuestos: yeso-celulosa, cemento-celulosa, polímeros-celulosa, entre otros
- producción de molduras para diferentes usos comerciales, como empaque de fruta, huevos, flores, partes de equipos electrónicos, etc.

- fabricación de biomantas para recuperar áreas erosionadas
- fabricación de artesanías
- fabricación de biotextiles
- fabricación de papel para artista
- otros usos

El raquis de banano para su procesamiento y su transporte presenta la desventaja de contener una altísima cantidad de agua, lo que también provoca una rápida biodeterioración, éstos son factores limitantes cuando se desea procesar en lugares alejados de los sitios de desecho. Otro factor por considerar es que el raquis de banano posee pocas fibras con respecto a la masa total, sin embargo, las fibras son muy fuertes.

Costa Rica es el tercer país en consumo *per cápita* de papel en Latinoamérica y únicamente produce dos tipos de papel por procesos de reciclamiento: papel absorbente para fines sanitarios, y papeles médium y liner para embalaje, por lo que se importan todos los otros tipos de papel que se consumen en el país.

HISTORIA DE LA INVESTIGACIÓN REALIZADA EN LA UNIVERSIDAD DE COSTA RICA SOBRE EL PULPEO DEL RAQUIS DE BANANO

Desde 1977, la Escuela de Ingeniería Química de la Universidad de Costa Rica, realiza investigaciones en las que utiliza como materia prima el raquis de banano, y estudia aspectos anatómicos, químicos y de pulpeo. Estas investigaciones han llevado a concluir que se trata de una fibra larga, de buenas características para la formación de papel y de alta resistencia mecánica y se ha comprobado la viabilidad técnica para la obtención de celulosa, producción de pulpa y de papel.

El Dr. José Antonio Martínez-Ortíz de las Casas, Profesor Asociado de la Escuela de Ingeniería Química de la Universidad de Costa Rica empezó con una investigación de la producción de papel a partir del raquis de banano, a finales de 1976, luego de visitar una planta empacadora de banano, donde pudo observar el desperdicio que se hacía del raquis. En una entrevista que se le realizó en noviembre del 2001, el Dr. Martínez-Ortíz relató que la idea de producir papel a partir de raquis de banano se le ocurrió cuando fue a pasar un fin de semana en la finca de un excompañero en Guápiles. "Ahí pude apreciar la gran cantidad de raquis que se desechaba y me percaté de la contaminación que esto producía.

Era una importante fuente de contaminación del agua de los ríos. En tierra, los desechos formaban gigantescos criaderos de moscas y mosquitos. Pensé que alguna utilidad se le debía poder dar a este desecho. Tal vez se podría fabricar algún producto de utilidad. Examiné el raquis apreciando que era un material fibroso, de fibras largas, aunque frágiles. Pensé que seguramente se podría producir papel periódico; papel periódico por el relativo alto consumo y porque todo era importado y consumido por unos pocos. Si se lograba producir papel periódico con este desecho, se contribuiría a disminuir los costos de la operación de producción de banano, mitigaría la contaminación, generaría empleo y se disminuirían las importaciones de papel periódico".

Figura 1.1. Investigadores pioneros en el uso del raquis de banano para la producción de pulpa y papel. De izquierda a derecha: Dr. José Antonio Martínez-Ortíz de las Casas; Ing. Marcela Shedden e Ing. Carlos Gómez Odio.

La ingeniera química Marcela Shedden fue la primera estudiante en realizar el estudio pionero de elaboración de papel a partir del raquis de banano. Como ella misma lo comentó en una entrevista realizada en noviembre del 2001, este fue uno de los temas para proyecto de graduación propuestos en el año 1977, por el Ing. José Antonio Martínez-Ortiz, para estudiantes de último año de Ingeniería Química. Ella seleccionó el tema por ser oriunda de la Zona Atlántica y le llamó la atención porque quería hacer algo que le fuera útil a su región. Gracias al trabajo y esfuerzo de los ingenieros Marcela Shedden y Carlos Manuel Gómez Odio, quien en ese entonces estaba a cargo del Departamento de Control Productivo de la planta de papel Scott Paper de Costa Rica, fue como luego nació "el papel natural" que aún se produce en el país por Kimberly Clark, actual dueña de Scott Paper.

El proyecto de investigación se denominó "Estudio sobre la utilización del raquis de banano" y fue planteado por el Dr. Martínez-Ortíz y realizado por la Ing. Marcela Shedden tuvo que enfrentar diversas dificultades ya que nadie creía en la idea. Según comentó el Dr. Martínez-Ortíz "busqué ayuda en todos los lugares que pude: la Escuela de Ingeniería Química, la Vicerrectoría de Investigación de la Universidad de Costa Rica, la Scott Paper Company y ASBANA. A todos les parecía una idea descabellada; con frecuencia me preguntaban si se había hecho antes, a lo que la respuesta obvia era que no, lo cual les hacía dudar de la factibilidad del proyecto. Fueron días difíciles. Después siguieron más investigaciones. Cabe destacar que el hecho de buscar fibras alternativas a las tradicionales para la producción de papel me hizo comenzar a explorar otras posibilidades como la fibra del coco y de la cabuya, así como explorar la utilización de otros desechos agrícolas y agroindustriales fibrosos para utilizarlos en la fabricación de papel. El objetivo general era utilizar desechos que contaminaran, transformándolos en productos útiles."

A pesar de los obstáculos, con el tiempo comenzaron a recibir apoyo de varias instituciones y empresas nacionales. Cuentan que los primeros colaboradores fueron la Escuela de Ingeniería Química y el Laboratorio de Productos Forestales o Laboratorio de Maderas, como se le denominaba en ese tiempo, éste último puso a su disposición toda la infraestructura y el cuarto con control de humedad; los equipos de laboratorio especialmente para análisis de resinas y celulosa; la prensa hidráulica y en general, todo lo necesario para que se llevara a cabo la investigación a nivel de laboratorio. Del sector externo se recibió apoyo de la empresa Scott Paper Company, localizada en San Antonio de Belén, la cual cooperó ampliamente con el préstamo de los laboratorios para hacer las primeras muestras de papel, y el apoyo logístico y humano de algunos ingenieros y laboratoristas. Fue relevante además, la colaboración del Laboratorio de Materiales de la Escuela de Ingeniería Civil y de la Escuela de Química en la recomendación para métodos de análisis a usar. La Sección de Transportes de la Universidad de Costa Rica apoyó en los viajes a la Zona Atlántica para extracción de materiales y obtención de fotografías. La Escuela de Ingeniería en Maderas del Instituto Tecnológico de Costa Rica apoyó con muchísima voluntad, con su infraestructura y con el personal para el análisis estructural del raquis. La Asociación Bananera Nacional (ASBANA) dio apoyo financiero para los pasajes de autobús para trasladar hasta las instalaciones de la Scott Paper Company a los investigadores.

Para la realización del proyecto a nivel de planta piloto, pensando en la industrialización de la producción de cajas de cartón hechas a base de raquis de banano que sirvieran para el transporte de los mismos racimos de la fruta, inicialmente era necesario contar con un laboratorio para medir las propiedades de las hojas de pulpa obtenidas y poder determinar si éstas eran aceptables para el fin propuesto, además de realizar pruebas a nivel de planta piloto para poder predecir el éxito de un escalamiento a nivel industrial.

Luego de graduada, en 1979 el Instituto Tecnológico de Costa Rica promovió a la ingeniera Marcela Shedden ante la OEA y ella recibió una beca para realizar una pasantía de cuatro meses en el Instituto Centroamericano de Investigación y Tecnología (ICAITI) en Guatemala, con el objetivo de realizar una investigación más profunda con el raquis de banano mezclado con pulpa de madera y sin ella. Las muestras de papel de los trabajos realizados fueron donadas por la ingeniera Shedden, años después, a la Escuela de Ingeniería Química.

Durante esta investigación, el papel del Gobierno de la República y de la empresa privada fue determinante, ya que estos dos entes fueron los encargados de financiar este tipo de proyectos y a la vez dotar al país con la infraestructura necesaria para desarrollar una tecnología propia y sólida y a un costo mínimo.

El Dr. Martínez-Ortíz fue el primero en sugerir que era necesaria la creación de un Centro de Investigación de Pulpa y Papel, para avanzar con la investigación que hasta el momento sólo él había realizado y que, en sus propias palabras, "estaba apenas en la etapa de laboratorio", por lo que presentó una propuesta ante el Instituto de Investigaciones en Ingeniería donde resaltaba la necesidad de ampliar el quehacer del Laboratorio de Productos Forestales dotándolo de los equipos necesarios de pulpa y papel. Esta propuesta se concretó en 1986, cuando gracias a una donación del Banco Interamericano de Desarrollo (BID) y la decisión del Ing. Jaime Sotela Montero, director del Laboratorio, parte de los recursos asignados a la Universidad de Costa Rica se destinaron a la compra e instalación del equipo básico para el funcionamiento de la actual Sección de Celulosa y Papel. La M. Sc. María Lorena Blanco Rojas tuvo a cargo la compra, instalación y puesta en marcha de la actual Sección de Celulosa y Papel, y contó con la colaboración del Ing. Carlos Gómez Odio, profesor de la Escuela de Ingeniería Química.

En 1989, se realiza el primer Congreso de Química e Ingeniería Química de Costa Rica, donde por primera vez se presentaron los resultados de la investigación dirigida por el Dr. José Antonio Martínez-Ortíz.

En Guatemala, algunos años después, con base en los resultados de las primeras investigaciones costarricenses, la organización GTZ, de Alemania, financió un proyecto conjunto donde los investigadores del Instituto Centroamericano de Investigación y Tecnología (ICAITI), estudiaron la producción de celulosa a partir de las diferentes partes de la planta de banano: el pseudotallo, las hojas y el raquis o pinzote; llegando a determinar la viabilidad técnica y económica de la producción de celulosa y papel, en pequeña escala, por los procesos químicos al sulfato y organosolvente.

Por otra parte, Brasil, mayor productor de banano del mundo, se interesó por estos estudios y decidió realizar un trabajo de investigación mayor en la parte de beneficiado, a través un proyecto de investigación de maestría realizado por la autora. La tendencia de Brasil era dirigir su producción de banano para la exportación, debiendo surgir en un futuro cercano la necesidad de aprovechar de la mejor manera posible los residuos del banano después de su embalaje. En ese país, entró en funcionamiento la primera fábrica de pulpa química de la planta de banano, en Recife en 1995, la cual tuvo una inversión inicial de trescientos cincuenta mil dólares ($350 000).

En Costa Rica, el Laboratorio de Polímeros (POLIUNA) de la Universidad Nacional estudia también el aprovechamiento de estas fibras para la obtención de ligninas y productos, a partir de ellas.

La Escuela de Ingeniería Química continuó apoyando los estudios con la fibra de raquis de banano y a través de proyectos de graduación se realizaron investigaciones que incluyeron, entre otros: diferentes métodos de pulpeo; encolados interno, externo o combinados; factibilidad técnica de algunos procesos; métodos de blanqueamiento de pulpas entre otros.

La Universidad de Costa Rica, hasta hoy, se ha dedicado a la investigación científica en este tema y a la divulgación de los resultados obtenidos en distintos foros nacionales e internacionales, con el fin de lograr la transferencia del conocimiento científico que en realidad es un esfuerzo de todos y cada uno de las y los costarricenses.

La mayor parte de esta investigación se ha realizado en el Laboratorio de Productos Forestales, en la Sección de Celulosa y Papel, la cual se ha consolidado como la entidad a nivel nacional dedicada a la investigación en el aprovechamiento de especies maderables de rápido crecimiento provenientes de plantaciones manejadas, residuos agrícolas y residuos agroindustriales para la producción y caracterización de pulpa para papel. Es sus años de existencia se han estudiado especies maderables como: *Leucaena leucocephala*, *Eucalyptus saligna*; *Gmelina arborea*; *Tectona grandis* y especies no maderables como: *Furcraea cabuya*; *Yucca elephantipes*; *Dracaena massangeana*; *Elais guianensis*; *Bambusa vulgaris*; *Guadua angustifolia*; *Guadua aculeata*; *Luffa cylindrica*; *Ananas comusus*; *Musa Giant Cavendish*, *Oriza sativa*, entre otras.

En 1989, por iniciativa de la artista nacional Grace Herrera Amighetti, profesora de la Escuela de Artes Plásticas, de la Facultad de Bellas Artes de la Universidad de Costa Rica, la Vicerrectoría de Investigación aprueba el proyecto Producción de papel hecho a mano. Hasta inicios del año 1993 se trabajó en conjunto con el Laboratorio de Productos Forestales, siendo la responsable de los aspectos técnicos la Ing. María Lorena Blanco Rojas y de la parte artística artesanal, la profesora Herrera Amighetti, posteriormente el proyecto lo continúa únicamente la Escuela de Artes Plásticas.

De 1990 a 1998, el proyecto fue dirigido por la artista Grace Herrera Amighetti y a partir de 1999 por el profesor Alberto Murillo Herrera, profesor de la misma Escuela. En ese periodo se investigaron gran cantidad de fibras nacionales y de otras latitudes, entre ellas, el raquis de banano, logrando con esta fibra la elaboración de papeles hechos a mano, de gran calidad y belleza.

LA PRIMERA PLANTA DE PRODUCCIÓN DE PAPEL DE BANANO EN COSTA RICA

El Dr. Carlos Hernández de la Escuela de Agronomía de la Región Tropical Húmeda (EARTH) relató que después de leer y estudiar los resultados de las investigaciones realizadas en la Universidad de Costa Rica, a él se le ocurrió la idea de iniciar hace algunos años el proyecto de la fabricación de papel a partir del raquis de banano, a nivel de planta piloto en la EARTH, dada la ubicación geográfica en la Región Atlántica de Costa Rica de la misma, donde se concentra una de las mayores áreas de la producción de banano.

Este proyecto inició en febrero de 1990, con un estudio de impacto ambiental en el campus de la EARTH. A partir del estudio se encontró que una de las áreas que más causaba problemas

Figura 1.2. Señor Gilberto Sequeira Espinoza trabajando en la separación de material de reciclo para la planta de la EARTH.

ambientales era la del banano, de la cual se generaban varios tipos de desechos, tanto orgánicos como inorgánicos que causaban problemas ambientales, sobre todo el pinzote del banano.

En esos tiempos, el método de desechar el pinzote era dejarlo entero en un potrero (3 300 ha) donde se biodegradaba generando una gran cantidad de moscas, malos olores, etc. Teóricamente, no debería haber ningún problema en dejarlo así; sin embargo, dadas las condiciones climáticas y la manera de su disposición, este método provocaba un impacto desagradable. En otras fincas, los residuos de raquis eran literalmente tirados a las orillas de los ríos para que cuando llegara "la llena" o inundaciones se los llevara y limpiara la zona, esto en detrimento de la pureza de las aguas y del impacto negativo en la fauna de los mismos. Otro agravante era el hecho de que el pinzote no estaba del todo libre de plástico, razón por la cual el impacto ambiental negativo que causaba era aún mayor.

Se buscó la manera de eliminar el problema contactando a personas que pudieran aprovechar el raquis del banano para otros fines y así eliminar el problema. La primera persona con quien se habló fue con la artista Lil Mena, que ya venía haciendo trabajos artísticos con la fibra del banano.

En esos días, el señor Gilberto Sequeira Espinoza, trabajador de la EARTH, comentó que en "Las Mercedes", una familia había tenido una planta de extracción de fibra de abacá para hacer mecate en los años cincuentas. La planta dejó de funcionar, porque no tenía buen mercado, así que el dueño decidió enterrarla haciendo un hueco al lado de la finca "Las Mercedes".

Cuando la EARTH compró una parte de dicha finca, le pidió permiso, por medio de un familiar, al dueño de la antigua planta para poder usar la maquinaria y se la regalaron. Como no sabían qué tipo de maquinaria tenían, buscaron información en tesis y con personas que les ayudaran a ponerla a funcionar. De esta manera contrataron como consultor al ingeniero químico Carlos Manuel Gómez Odio quien les indicó de qué trataba el equipo y les diseñó y montó la planta con la cual comenzaron su producción. Desde ese momento, buscaron formas de mejoramiento de la planta, de manera puramente intuitiva.

A partir de este momento se comenzó la producción y comercialización de láminas de fibra de raquis de banano, mezclado con los mismos papeles de impresión y escritura generados en el campus.

En 1993, la EARTH intentó firmar un convenio para vender la fibra de raquis a través de unos canadienses; aunque no resultó el convenio, conocieron al señor Ian Ratosky, quien les contactó con los dueños del grupo SIMÁN, salvadoreños radicados en Miami quienes aceptaron el reto. Este grupo es dueño de CONAPA, empresa que tiene una subsidiaria en Costa Rica, además, en Miami poseen la empresa "Southeast Paper Company" y en El Salvador una planta llamada "Cartotécnica Centroamericana".

Figura 1.3. El Dr. Carlos Manuel Hernández encargado de la planta en la EARTH muestra a la M. Sc. María Lorena Blanco parte de los productos de la planta.

Se comenzó así la comercialización de la fibra del raquis de banano. La EARTH hizo una alianza con la planta de El Salvador para producir papel de banano, usando el nombre de Costa Rica; de allí nace la empresa Costa Rica Natural, la cual produce el papel que se conoce en el mundo como BANANA PAPER. Actualmente, esta empresa comercializa otros tipos de papeles conocidos como COFFE PAPER, TABACO PAPER, entre otros. Además de las ganancias en dinero, esta licencia le permite tener un nombre que es reconocido a nivel mundial.

La EARTH, suple desde Costa Rica, la fibra que se extrae y beneficia en su campus, atendiendo ciertas especificaciones de la empresa compradora y en El Salvador la fibra es procesada bajo un tratamiento termoquímico, refinada y mezclada con papeles viejos de impresión y escritura en una proporción de un 90% de residuos de papel comercial y un 10% de fibra de banano, para luego formar el papel, mediante un proceso convencional.

El papel, ya terminado, se trae nuevamente al país donde es convertido por CONAPA, en diferentes productos para el mercado, la EARTH recibe a cambio un porcentaje sobre el precio final del producto comercializado.

Desde El Salvador se distribuye el papel a todo el mundo a través de Costa Rica Natural. Los socios de esta empresa son, actualmente, el señor Gabriel Valverde y la familia Simán; aunque en un inicio estuvo también el señor Ian Ratowsky.

Por lo tanto, hasta el año 2001 la EARTH continuó haciendo dos tipos de papel: el que se hace en El Salvador y el que se hace directamente en el campus de la EARTH en Costa Rica.

El proceso de EARTH consiste en un pulpeo totalmente mecánico, sin la adición de sustancias químicas. Su interés principal es reducir el impacto ambiental negativo de la disposición inadecuada del desecho; esto quiere decir que se busca producir papel, sin contaminación ambiental, generando empleo, e involucrando a personas de las comunidades vecinas a la EARTH en su producción. Se fabrican entre otros: cajas para regalos, separadores para libros, pliegos para diferentes usos, materiales para agendas, etc.

Figura 1.4. Productos de papel de banano que se venden en la EARTH.

En el año 2001, la planta enfrentaba el problema de la comercialización, de sus productos dado que el mercado había bajado considerablemente en comparación con años anteriores. Para solucionar este problema, decidieron que era necesario realizar ciertos cambios para mejorar la calidad del papel, con el objetivo de consolidar su posición dentro de un nicho de mercado específico. En las palabras del Dr. Carlos Hernández: "No se trata de producir papel por placer, sino de poder venderlo. Montar una planta para la producción de papel es muy sencillo, lo que pasa es que no existe un buen mercado para este tipo de papel". La producción es de aproximadamente diez mil pliegos al mes, la cual es muy fluctuante, porque en algunos meses hay actividades que hacen que la demanda aumente, como por ejemplo en diciembre, por la Navidad; a El Salvador mandan unas quince toneladas anuales en promedio.

De las ganancias que obtiene la EARTH, se tiene el dinero que entra de la licencia con El Salvador y el de las ventas locales, el cual se destina al fondo de becas de la Institución.

Además de estas actividades, desde 1993 se comenzó una negociación con la Comunidad Económica Europea, ante la cual se presentó una solicitud de fondos para mejorar la planta piloto de la EARTH; esta propuesta pasó en 1994 por varias reformas y en 1995 se dieron problemas entre los países europeos con relación al dólar, por lo que el convenio se atrasó. Finalmente, en 1999 se firmó un convenio con el cual se aprobaron novecientos mil euros, específicamente para dos aspectos: iniciar un proyecto para la formación de microempresas que utilicen el producto de la planta y le añadan valor; y ayudar a mejorar la calidad del papel que se producía en la planta de la EARTH.

El proyecto fue analizado por varios consultores europeos: alemanes, italianos, franceses y españoles, quienes diseñaron la nueva planta que se construyó y que es con la que trabaja actualmente la EARTH.

LA RED ARTESANAL SANTA ROSA

Con base en la información suministrada por el ingeniero químico Carlos Manuel Gómez Odio e inserta en un disco compacto de acceso público, se extrajo la información sobre la historia de las micropapeleras a su cargo y el rol que él ha desempeñado en ellas.

La Red Artesanal Santa Rosa se compone de cinco micropapeleras, de las cuales el Ing. Carlos Manuel Gómez Odio es el presidente. Estas pequeñas industrias son participantes activas de la industria de las artesanías y sus clientes, básicamente provienen de los Estados Unidos y de algunos países europeos.

Según el Ing. Gómez Odio, el objetivo de esta red es "limpiar el medio ecológico eficientemente de los desechos de los grandes monocultivos agrícolas y favorecer a la sociedad de las comunidades agrícolas, alejadas de las oportunidades de empleo de los centros urbanos." Su primera micropapelera la fundó en sociedad con el ingeniero agrónomo Dr. Eduardo Jiménez, exprofesor de la Escuela de Agronomía de la Universidad de Costa Rica, después de dejar la planta de la EARTH debidamente organizada y tras dos años de funcionamiento. La micropapelera la instalaron en San Jerónimo de Moravia, para la fabricación de pliegos de papel de manera artesanal, papel que su dueño ha denominado Heno de Moravia.

Según cuenta el Ing. Gómez Odio, en 1994 nació el segundo proyecto de producción de papel de banano denominado Santa Rosa, el cual se localizó en Santo Domingo de Heredia. Luego, se construyó una nueva planta en La Rita de Guápiles, la cual fue trasladada posteriormente a El Soto Caballo de Cariari de Guápiles.

El cuarto proyecto lo desarrolló en 1997 y consistió en el montaje de un pequeño molino casero en El Murciélago de San Juan de Tibás, cuyo fin fue experimentar la fabricación de diferentes tipos de papel.

En 1999 instaló un quinto molino en Barva de Heredia, en la finca del señor Federico Echeverría; en éste se trabaja con un reactor químico orgánico para la producción diaria de una tonelada métrica de papel.

La Red Artesanal Santa Rosa ha dirigido la producción de papel de fibra de raquis de banano y la impresión sobre él de material publicitario para empresas, afiches para exposiciones y desplegables, entre otros. Sus experiencias en este mercado las ha hecho con productos que poseen estas características: material publicitario de exposiciones, ferias, convenciones, material con el logotipo de empresas, separadores para libros y otros; en general materiales impresos de bajo volumen, de uso específico, no apto para la escritura convencional (dada la rugosidad del material), y que no compite con los procesos de impresión tipográfica, offsett y otras, (por ejemplo: formularios, facturas, recibos y productos semejantes), donde impera el bajo costo para grandes tirajes.

Los clientes en este segmento específico son los representantes de mercadeo de las empresas o instituciones que solicitan el servicio. Muchos de los productos elaborados son creados con el objeto de publicitar algún evento específico principalmente, a la empresa y en menor grado algún producto o servicio de la misma.

POLYPAPEL

El señor Gerardo Lara Solórzano, economista de profesión, tuvo algunas experiencias con el tratamiento del pinzote de banano para la fabricación de papel a través de su empresa POLYPAPEL. Cuenta el señor Lara en una entrevista realizada a finales del 2001: "allá por el año 1994, me encontré con Carlos Manuel Gómez; yo estaba con el Programa Bolívar y él me contó de sus aventuras en papel de banano, cuestión que a mí me pareció interesante. Le dije que si él tenía interés en hacer una alianza estratégica con alguien del país o de fuera del país para darle contenido económico y ver la factibilidad de la empresa. Me dijo que sí y yo lo acerqué al Programa Bolívar donde se contactó con mucha gente".

En esos tiempos, relata el señor Lara, "la idea de Carlos era coger la fibra y prensarla a como diera lugar y hacer artesanías", cosa que él hace actualmente, pero Lara quería ver la posibilidad de hacer papel desde el punto de vista técnico. Dado que había comprado una finca en Guápiles a principios de 1996 y como él mismo dijo "le tenía fe al asunto", trató de seguir en contacto con el Ing. Gómez, sin embargo, éste ya estaba asociado con otra empresa, así que se puso a trabajar por su cuenta. Montó una planta en el caserío El Indio en La Teresa de Guápiles, provincia de Limón, la cual empezó a funcionar en 1996 con el nombre de POLYPAPEL, esta empresa produjo pulpa y la exportó a México.

Gerardo Lara decidió realizar varios estudios de laboratorio y encontró que el principal problema de trabajar con el pinzote del banano es su alto contenido de agua; que si se transportara con esa agua, la idea resultaría ambientalmente rentable, pero no así económicamente rentable. Así que, cerca de finales de 1997 decidió no hacer el papel de banano que inicialmente había pensado.

En 1997, menciona el señor Lara: "empezamos a trabajar con Sol Verde Asociados, enviamos siete u ocho contenedores de fibra seca de banano, previamente tratada bajo un proceso organosolvente, a Tlazcala, México, con el fin de realizar los estudios necesarios para ver si se podía hacer papel de banano". Esta fibra que se envió por un espacio de tres meses a México, era secada al sol y en ocasiones se utilizaba una prensa. En Tlazcala se logró hacer

Figura 1.5. Bolsas, cajas y pliegos de papel de banano, EARTH.

un papel con un "toque natural", hecho a base de una mezcla de papel de reciclo y fibra de raquis de banano.

A finales de 1997, era cada vez más necesario invertir más y no se tenían los ingresos suficientes, por lo que el negocio no era rentable dado que el tratamiento del efluente era muy costoso; por lo tanto, decidió no trabajar más con pinzote.

ARTPAPEL

La empresa ARTPAEL, situada en el Carmen de Goicoechea, provincia de San José, está conformada por un equipo interdisciplinario de diseñadores, papeleros, y artistas dirigidos por la artista y diseñadora Lil Mena Gutiérrez, quien fundó el Centro de Investigación en Fibras y Papel (CIFYPA) en 1990 en Costa Rica. La fundación de este centro la hizo después de realizar estudios de posgrado y de participar en proyectos y molinos de papel hecho a mano, en Estados Unidos, Filipinas y Europa, así como desarrollarse como artista e investigadora en papel hecho a mano, libros de artista (book-arts) y gobelinas (tapestry).

Según la artista Lil Mena, el CIFYPA se dedica principalmente a la investigación de desechos orgánicos y a su aplicación a la manufactura de papel, mediante una tecnología y procedimientos propios para hacer papel, los cuales han sido adaptados de las tradiciones japonesa y precolombina y a las necesidades del entorno natural contemporáneo. Tiene como visión convertirse en el centro regional más avanzado en la investigación, diseño, desarrollo y proyección cultural y educativa del papel hecho a mano, con base en desechos vegetales y de fibras naturales, demostrando la sostenibilidad de proyectos de reciclaje de acuerdo con la realidad del Istmo Centroamericano.

El CIFYPA, posee un Centro de Diseño donde se producen objetos de carácter artístico, así como propuestas y resoluciones a solicitudes de la empresa turística e industrial en cuanto a decoración, regalos corporativos y empaques de segunda vida. Además, cuenta con un Centro Educativo donde se realizan programas de extensión en escuelas y colegios sobre reciclaje de papel y cursos de formación y educación ambiental para personas de diferentes edades, mediante eventos debidamente programados con instituciones ambientales.

Esta empresa ha desarrollado papel hecho a mano comercializado bajo el nombre de ECOPAPEL, elaborado con desechos orgánicos como el pinzote de banano, la cáscara de piña y otros. Este papel sirve para la elaboración de objetos artesanales como cajas de regalo o ediciones de libros especiales; soluciones de empaque, soporte, y objetos para el sector turístico, industrial y artístico internacional; y para la pintura al óleo o acrílica; procesos de serigrafía e imprenta. Mediante alianzas estratégicas con firmas fruteras transnacionales y empresas industriales de bienes de consumo masivo, se han diseñado soportes en papel para ser usados en el empaque, embalaje y etiquetado de distintos productos comerciales.

El ECOPAPEL evoca en su formación otros métodos de hacer papel como el papiro en Egipto, el amate en México, la tapa en las islas del Pacífico o el mastate en Costa Rica. El papiro y el mastate se consideran protopapeles, pues son anteriores al concepto actual de hacer papel. Los tipos de protopapeles son: Guaymi (100 % pinzote de banano); Cabuya (100 % cabuya) y Matambu (100 % pinzote de banano). Entre los papeles se encuentran: Miranda, Mezcla clara; Mezcla oscura; Broza clara; Broza oscura; Helechos; Hilos; y Coco en los cuales se utilizan, como materias primas, el pinzote de banano y papel de desecho.

COSTA RICA NATURAL

Costa Rica Natural es una empresa que combina arte y cuidado al medio ambiente para crear, de esta manera, un producto elegante, de apariencia natural. Con el reciclaje de fibras tropicales y desechos de otros papeles, la empresa manifiesta salvar árboles y disminuir la cantidad de contaminación en ríos y paisajes.

La empresa Costa Rica Natural se fortaleció como una división del Grupo Simán y actualmente comercializa diferentes productos hechos con base en el papel de banano que ella misma produce en El Salvador, a través del convenio con la EARTH. Este convenio nació del hecho de que es la EARTH la que le suministra la fibra natural a la empresa. La EARTH, al ser una institución ambientalista, ofrece soluciones económica y ecológicamente viables.

Costa Rica Natural ofrece trabajo para muchas personas de diferentes ramas. La idea de la empresa surgió de un fabricador de cosméticos ecológicos: Ian Ratowsky, quien empezó trabajando mano a mano con la EARTH e hizo el contacto con el Grupo Simán. El Grupo Simán es un grupo de compañías de origen familiar y multinacionales, que fueron establecidas por Emilio J. Simán en El Salvador, hace sesenta años.

Esta empresa es una de las que más productos distribuye en el mercado nacional, entre estos se encuentran: variedad de cuadernos con ilustraciones de pájaros, insectos y otros animales alusivos a la ecología, agendas de escritorio, agendas de bolsillo, paquetes de hojas de papel tamaño carta, sobres, agendas para direcciones y teléfonos, bloques de notas, etc. Todos estos productos se encuentran dentro de los nombres que ya son marca registrada de la empresa, como lo son BANANA PAPER, COFFE PAPER y CIGAR PAPER. Esta gama de productos se pueden ordenar también a través de la INTERNET.

A pesar de varios intentos por obtener información directamente de la empresa, ellos se negaron a recibir a la autora de este libro, por lo que la información anterior se obtuvo del sitio de la empresa en la red INTERNET.

ARTISTA PLÁSTICA GRACE HERRERA AMIGHETTI

Desde su taller de papel hecho a mano en la Escuela de Artes Plásticas, de la Universidad de Costa Rica y en su atelier personal, la artista plástica Grace Herrera Amighetti ha trabajado diferentes fibras nacionales y de origen externo en la fabricación de papel para artista.

Siempre ha buscado la elaboración del papel mediante métodos exentos de sustancias químicas, con técnicas artesanales y de producción de papel al estilo oriental; algunas veces utiliza tintes extraídos de plantas, flores y semillas y en otras, pigmentos y tintes profesionales para fibras textiles y ha usado diferentes fibras, entre ellas la del raquis de banano.

Figura 1.6. La artista Grace Herrera Amighetti, en su casa de habitación, junto a la planta de Kozo (*Broussonetia kazinoki*), fibra japonesa que ella usa muchísimo en la elaboración de papel hecho a mano y arte matérico.

Ha buscado la creación de texturas, ya sea incorporándole al papel elementos como hojas, fibras, semillas u otros materiales orgánicos o inorgánicos, o formando el papel sobre distintos soportes y bastidores que logren producir texturas novedosas y estéticamente llamativas.

Grace Herrera Amighetti busca que sus papeles puedan usarse como soporte de técnicas artísticas: acuarela, grabado, acrílico y dibujo entre otras, así como también, que las pulpas sirvan de material para esculturas o para la creación de fondos, relieves o texturas dentro de su obra plástica, osea, que el papel se convierte en medio, en protagonista de la obra.

Sus obras de arte matérico y la colección de papeles hechos a mano de la artista son únicas, auténticas e impresionantes y en cada una se aprecia y se distingue su arte personal.

CAPÍTULO II

FIBRAS NO MADERABLES EN LA PRODUCCIÓN DE PASTA CELULÓSICA

Este capítulo presenta la situación de la utilización de fibras anuales en la obtención de pasta celulósica y en particular, el empleo de los residuos orgánicos de la actividad bananera.

Se hace énfasis en las fibras obtenidas de la actividad bananera, de manera general en el mundo y de forma particular, en Costa Rica.

REVISIÓN BIBLIOGRÁFICA

Durante muchos años la producción mundial de celulosa y papel estuvo basada solamente en fibras provenientes de plantas vegetales agrícolas (lino, algodón, lana y paja), por lo que la madera se considera como una materia prima recién llegada a la fabricación de celulosa y papel, pero que en este momento abarca la mayor parte del mercado (JUDT, 1985 y ATCHISON & McGOVERN, 1987). Sin embargo, papeles de mejor calidad todavía continúan siendo fabricados sólo con fibras de plantas anuales o con mezclas de estas fibras y fibras provenientes de madera, como por ejemplo papeles especiales tales como: moneda, seguridad, filtros, aislantes eléctricos, cigarro, etc. (REBOUÇAS & MARTINS, 1985).

Las fibras provenientes de plantas anuales que no presentan características arbóreas, (conocidas en la literatura especializada como "non-wood fibers"), y que en español se denominan fibras anuales, son clasificadas en: residuos agrícolas (bagazo de caña de azúcar y paja de cereales, sorgo, tallos de maíz, tallos de algodón); plantas de crecimiento natural (bambú, junco, gramíneas, papiro, etc.); y plantas de importancia comercial por las fibras. Éstas, a su vez, se dividen en: fibras del tallo (kenaf, ramio, lino, crotalaria, yute, cáñamo); fibras de hojas (abacá, sisal, henequén, trapos viejos o trapos hechos de esas fibras); y fibras de pelos de semillas como "linters" de algodón o hilos, trapos de algodón, y residuos textiles de varios tipos (ATCHISON & McGOVERN, 1987).

Según ATCHISON (1987a), del total de papel producido en el mundo, el 6,72 % en 1970, y el 8,1 % en 1985 y el 9,1 % para 1990 fue obtenido a partir de plantas anuales. La mayor capacidad de pulpeo de fibras anuales, en relación con la capacidad total de fabricación de celulosa en el mundo, se concentra en las economías de mercado no desarrolladas de Asia, África y América Latina.

JUDT (1985, 1988) menciona que el uso actual de las fibras anuales queda restringido principalmente a las áreas del mundo con poca cantidad de madera, tales como el Oriente Medio, África del Norte, Asia Central y México; que son regiones con gran demanda de papel, debido al crecimiento de la población y de la expansión de programas de educación, y cuentan con muchos residuos agrícolas. China (ATCHISON, 1987a; SHOUZU, 1988) actualmente, es el país con mayor producción mundial de celulosa y papel a partir de fibras anuales. En ese país, ocho mil fábricas de pequeña escala produjeron cerca de quince millones de toneladas de celulosa, de las cuales aproximadamente el 22 % fue a partir de estas fibras (ZHU & PUFANG, 1994).

En América Latina, dos de los cinco países líderes en la producción de celulosa y papel, Colombia y México (PAYNE, 1994), fabricaron celulosa a partir de fibras anuales en grandes proporciones en relación con el total de pulpa producida. En Colombia el porcentaje fue del 44 % (MARMOLEJO, 1994) y en México del 33 % (LLAMAS, 1994).

KNIGHT (1994), relata que Brasil posee treinta y cinco fábricas, doce de las cuales producen pulpa a partir de fibras anuales. La producción para 1992 fue de 156 000 ton y para 1993 fue de 127 000 ton, en tanto que importó 3000 ton y 5000 ton de pulpas de fibras anuales en los mismos años, respectivamente.

La fibra anual más utilizada en el mundo para producción de papel es el bagazo de caña de azúcar, siendo los mayores productores, Taiwán y México. En este último, para 1992, el 42,86 % del total de celulosa producida fue a partir de bagazo de caña de azúcar, según datos de PEARSON (1993). Otros tipos de fibras anuales de importancia son las pajas, de las cuales los principales países productores son: China, España, Italia, India y Taiwán. Se tiene también el bambú, en India, el junco, en China y Rumania.

RESIDUOS DE LA ACTIVIDAD BANANERA

Hasta el momento, los residuos orgánicos de la actividad bananera como posibles fuentes de fibra larga para producción de celulosa y papel, han sido estudiados por: SEMANA *et al.*, (1978); SHEDDEN, (1978); ESCOLANO *et al.*, (1979); ESCOLANO, (1981); CHAVEZ, (1981); LÓPEZ, (1981); SABORÍO, (1981); TORRES, (1981); FRANCIA *et al.*, (1984); ESPINOZA, (1986); DARWA, (1988); ICAITI, (1988b); ESCOLANO *et al.*, (1988); KILIPEN, (1992); AMADOR, (1992) y BLANCO, (1996).

El cultivo del banano es frecuentemente acusado de fuente importante de contaminación por agroquímicos, plásticos y residuos sólidos perjudiciales, además de provocar el aumento de la erosión y la deforestación, acciones ocasionadas por la expansión de las áreas de producción bananera y de estar relacionado con graves problemas de salud ocupacional. Estas razones han impulsado, en algunos de los mayores países exportadores de banano, la búsqueda de soluciones que puedan propiciar el reaprovechamiento de los residuos de esta actividad.

Iglesias (1987)[2] citado por STURION (1994), menciona que el residuo de la actividad bananera representa un 40 % de la producción del fruto, mientras que, HIROCE (1972) afirma que son generadas cerca de trece toneladas de materia orgánica seca por hectárea, cuando se considera el pseudotallo, las hojas y el raquis del banano.

MOREIRA (1987) estimó que un bananal conducido y explotado dentro de las normas recomendadas, produce aproximadamente de (180 a 200) t de biomasa por hectárea por año, dentro de las cuales se encuentran las hojas, el pseudotallo y el raquis. El autor menciona que, durante la colecta, el racimo es separado de la planta de banano haciéndole un corte al pseudotallo a la altura de la roseta foliar, siendo la mejor práctica, dejar apenas el pseudotallo a la mayor longitud posible y eliminar todas las hojas. Concordando con esto, HERNÁNDEZ (1991)[3] relata que la parte superior al corte consiste en hojas que son cortadas y dejadas en la plantación; en cuanto a la parte

---

2   IGLESIAS, M. B. **Revista agroquímica y tecnología de alimentos.** Valencia, 27 (1): 24-30, 1987.

3   HERNÁNDEZ, C. (Costa Rica) Material cedido por el autor de la conferencia **Tratamiento de los desechos generados por el cultivo del banano,** dictada en Honduras, 1991.

inferior, el pseudotallo, queda en pie, permitiendo inicialmente al hijo adsorber todos sus nutrientes. Las hojas y el pseudotallo son residuos sustentables, que antes de la biodegradación forman una cobertura que ayuda al control de plantas dañinas y posteriormente se incorporan al suelo de la plantación, como nutrientes.

VITTI & RUGEIERO (1984) afirman que la descomposición de la parte vegetativa del banano es rápida, siendo que solamente el 10 % de la misma permanece después de cuatro meses de incubación, con el suelo en condiciones de campo.

FERNÁNDEZ (1994)[4], SCARPARE FILHO (1994)[5], GALLO *et al.* (1972), PURSEGLOVE (1972) y MOREIRA (1987), concuerdan con la necesidad de dejar estos residuos en la plantación. PURSEGLOVE (1972) relata que las hojas y el pseudotallo son utilizados como fuente de materia orgánica, por lo cual son dejados alrededor de los troncos a fin de asegurar el grado de humedad necesario de las raíces, tanto en plantaciones de banano, como de otras culturas perennes.

USO DE LAS FIBRAS DEL RAQUIS DE BANANO EN LA PRODUCCIÓN DE PULPA CELULÓSICA

En la actividad bananera pueden ser aprovechadas las fibras del banano provenientes de tres fuentes:

- **El pseudotallo:** diferenciado en tres capas: la externa, con fibras en gran cantidad y de buena calidad; la intermedia, con una proporción de fibra y propiedades de resistencia mecánica menores que la capa anterior y la capa interna sin fibras. Después de la corta del racimo, el pseudotallo queda en pie, y ayuda a almacenar aguas y nutrientes para la planta "hijo"; y al menos durante treinta días devuelve ciertas sustancias hormonales llamadas auxinas, necesarias para el desenvolvimiento de la planta "hijo". Estas razones llevan a no considerarlo como una fuente de materia prima para la producción de celulosa.

---

4   FERNÁNDEZ, J.C. (Ingeniero agrónomo, São Paulo, Brasil) **Comunicación personal**, 1994.

5   SCARPARE FILHO, J. A. (Profesor de Fruticultura, de la Escola Superior de Agricultura "Luiz de Queiroz", Piracicaba) **Comunicación personal**, 1994.

- **La nervadura de las hojas:** la extracción de las fibras demanda mucha mano de obra y las hojas, si se dejan en la plantación, son de suma importancia para el cultivo, ya que forman una cobertura vegetal que ayuda a la retención de la humedad, y después del proceso de biodegradación, restituyen nutrientes al suelo y son fuente de materia orgánica para la plantación de banano. Los factores mencionados hacen inviable su aprovechamiento como fuente de fibra.

- **El raquis o pinzote:** es un residuo agrícola que queda fuera de la plantación, la mayoría de las veces. En los casos en que los racimos son llevados hasta el "packing house" para los procesos de separación de las manos de banano, lavado y embalaje, los raquis residuales quedan juntos y limpios, lo que hace atractivo su aprovechamiento. Tanto el pseudotallo como las hojas protegen las raíces del banano del ataque de hongos y nemátodos, debido a que ellas se encuentran aproximadamente a 20 cm del suelo; no es posible extraer biomasa de una plantación de banano con equipos pesados.

MOREIRA (1987) afirma que la mejor forma de ofrecer nitrógeno al banano, es a través de la materia orgánica, que además de contener nutrientes, ayuda a retener la humedad del suelo. Esto constituye un factor muy importante, ya que el nitrógeno es el responsable por el crecimiento de la planta, del número de frutos y del número de pencas del racimo, siendo imprescindible para cualquier evolución interna de la planta y de la dinámica nutricional, en general. GALLO *et al.* (1972), cuantificaron que 330 kg/ha de K_2O, tendrían que ser restituidos si el pseudotallo fuese retirado de la plantación, además de afirmar que esto sería prejudicial al cultivo, debido a la exportación de otros nutrientes y por el aumento del ciclo de la cosecha, atrasando el desarrollo de la planta "hijo".

SEMANA *et al.* (1978), concluyen que todos los intentos para encontrarles un uso a las fibras provenientes de una plantación de banano son justificadas, principalmente, porque el proceso de biodegradación de los residuos orgánicos y su incorporación al suelo como nutrientes, son procesos muy lentos, además de estar la mayor parte de los minerales en la parte no fibrosa de la planta.

El aprovechamiento del raquis de banano llevaría al bananero a:

- la diversificación de su actividad, vendiendo fibras para otros sectores como son: papelero, textil, químico, automovilístico, de la aviación o de la construcción;

- la generación de fuentes de empleo para hombres y mujeres, ya que la actividad bananera casi siempre existe sola, como única fuente de trabajo, principalmente para los hombres;

- la eliminación de problemas de contaminación al medio.

CAPÍTULO III

CARACTERIZACIÓN ANATÓMICA Y FISICOQUÍMICA DEL RAQUIS DE BANANO

Este capítulo presenta la caracterización fisicoquímica completa del raquis de banano. Los principales aspectos investigados son: descripción macro y microscópica del raquis, morfología de los elementos estructurales y su variación entre la médula y la periferia; y entre la cabeza y la base; la composición química del material antes y después de aplicado un proceso de beneficiado. Los valores presentados en la literatura, generalmente son obtenidos con material beneficiado, sólo que no describen apropiadamente el proceso empleado ni la diferencia entre ambos materiales.

REVISIÓN BIBLIOGRÁFICA

El banano, introducido en América en el siglo XVI, es una hierba de gran porte, monocotiledónea, que produce solamente un ramo y muere. Su fruta es utilizada como alimento desde hace muchos años en el sudeste asiático (MOREIRA, 1987). SEMANA *et al.* (1978), afirman que existen en el mundo cerca de trescientas especies diferentes de bananos, formados de clones primarios, y cerca de ciento cincuenta mutantes fácilmente reconocibles; teniéndose así, un número verdadero, que probablemente se encuentra entre doscientas y trescientas especies.

PURSEGLOVE, (1972); SEMANA *et al.*, (1978) y ALQUINI, (1986), concuerdan en que el banano tiene la siguiente clasificación taxonómica:

DIVISIÓN	Fanerógamas
SUBDIVISIÓN	Angiospermas
CLASE	Monocotiledóneas
ORDEN	Scitamineas
FAMILIA	Musaceae
SUBFAMILIA	Musoidae
GÉNERO	Musa
SUBGÉNERO	Eumusa

La Musaceae (DAHLGREN *et al.*, 1985) es una familia paleotropical, que aparece desde África hasta el este asiático, Australia y las Islas del Pacífico. PURSEGLOVE (1972), comenta que el género Musa contiene cerca de cuarenta especies de hierbas perennes, rizomatosas, que son encontradas en el sudeste asiático y en el Pacífico, con su centro de diversidad y probable origen en el área de Assam-Burma-Tailandia.

Para MONTGOMERY (1954), el género Musa posee un grande número de especies, dentro de las cuales están incluidas muchas de las plantas más útiles del mundo, ofreciendo una importante proporción de la demanda mundial de fibras para cordaje, tejidos comunes y hasta para algunos tejidos más finos. Sus frutos son importantes en la dieta de las personas en muchas partes del mundo, en algunos países hasta se comen el botón floral como un vegetal. En otros lugares, la savia de las plantas es usada como sustancia colorante, las hojas son usadas como forro para recipientes de cocimiento, para envolver alimentos y hasta como platos para servir comida.

Dentro del género Musa, se encuentra el subgénero Eumusa que ha sido clasificado por SEMANA *et al.* (1978) como el de mayor importancia comercial y económica, porque contiene la mayor parte de los bananos comestibles (de 9 a 10), incluyendo la *Musa acuminata* y *Musa balbisiana*, híbridos poliploides. ROWE (1975) afirma que las especies silvestres de banano con semillas son diploides y las comerciales, generadas por polinización, son triploides, lo que hace que sean plantas más vigorosas, produciendo frutos mayores y sin semillas.

En el ámbito mundial, el cultivar más comercializado es el 'Giant Cavendish', perteneciente a la especie Cavendish, introducida en el Brasil en 1960 y conocida como "Nanicão" (GEMTCHÚJNICOV, 1976; y MOREIRA, 1987). Otros sinónimos pueden ser encontrados en la literatura para este cultivar, denominado de "Lacatan", "Congo" y "Nanica" en Brasil; "Giant Governor" o "Grande Naine" nombre encontrado por PURSEGLOVE (1972), y "M. cavendishii" conforme lo comentado por GEMTCHÚJNICOV (1976).

Según ALQUINI (1986), en la sistemática de clasificación de las Musas existen divergencias acentuadas entre diversos autores, principalmente por ser plantas cultivadas por mucho tiempo y que se aclimataron fácilmente en diferentes continentes y, por haber sufrido mutaciones, presentan aspectos variados, propiciando el surgimiento de variedades dentro de cada especie, sin olvidar que el hombre ha efectuado cruzamientos con el objetivo de obtener frutos de mayor valor comercial.

SEMANA *et al.* (1978) comentan que por conveniencia, se denomina con "A", las bananeras con características semejantes a la *Musa acuminata* y con "B", las que presentan características semejantes a la *Musa balbisiana*, siendo el principal grupo el triploide AAA, que contiene los clones comerciales más difundidos del mundo, teniendo su centro de origen y diversidad en la región de Malasia (PURSEGLOVE, 1972).

Los bananos cultivados son referidos por la designación botánica "Linnean", formada por los términos: *Musa sapientum* L. (sin. *M. paradisiaca* variedad sapientum (L.) Kuntze) y los plátanos como *M. paradisiaca* L., Simmonds (1962)[6], citado por PURSEGLOVE (1972), quien sugiere que la nomenclatura formal latina debe ser abandonada y sustituida por una nomenclatura basada en la genonomía, donde el clon se refiera al género y éste, a su propio grupo, o sea, en el caso del "Nanicão" será Musa (Grupo AAA) 'Giant Cavendish'. Para MOREIRA (1987), la manera correcta de denominar este tipo es: "Nanicão, triploide de *Musa acuminata* (AAA), del subgrupo Cavendish".

En relación con el nombre, ATEN *et al.* (1953), MONTGOMERY (1954), PURSEGLOVE (1972) y ALQUINI (1986), relatan la existencia de ligaciones con las palabras árabes: 'musah', 'mauz', 'mouz'; con las musas de la mitología, principalmente las diosas de la inspiración; además, lo relaciona con el nombre de Antonio Musa, citado como médico (o físico) de Octavio Augusto, primer emperador romano, quien vivió entre los años 63 y 14 antes de Cristo.

Con respecto a la ecología de las bananeras, PURSEGLOVE (1972), menciona que son plantas de planicies tropicales húmedas, que crecen principalmente entre 30° norte y 30° sur del Ecuador; que necesitan de altas temperaturas, humedad e intensidad de luz; que no toleran la competición con otros vegetales, principalmente con el zacate, no deben ser cultivadas en terrenos pobres o secos, sin drenajes, precisando de grandes cantidades de agua, mínimo de cerca de 25 mm/semana. Sobre las condiciones para el buen desarrollo de las bananeras, MOREIRA (1987) concuerda con que la Musa precisa de calor constante y adecuada distribución y exposición solar, además de que presentan un ciclo de vida

---

[6] SIMMONDS, N. M. **The evolution of the bananas**. London, Longman, 1962.

perfectamente definido. El autor define el "ciclo vegetativo de una bananera" como el período comprendido entre su aparición en la superficie de la tierra, bajo la forma de "hijo", y la colecta de su producción; presenta como definición el intervalo de tiempo entre la colecta del racimo de banano y la colecta del racimo de su hijo. Los ciclos vegetativos y de producción son afectados por todos los factores que actúan, directa o indirectamente, en la fisiología del banano.

Morfológicamente, PURSEGLOVE (1972) describe la Musaceae, como una hierba gigante, con un pseudotallo formado por vainas foliares espiraladamente colocadas; hojas nuevas formadas del meristema vecino al nivel de la tierra, iniciándose a través del pseudotallo en una condición fuertemente cilíndrica; hojas grandes, generalmente ovaladas, con un nervio central muy fuerte, con numerosas venas paralelas, de forma pinulada extendidas al margen; inflorescencia terminal del meristema iniciándose sobre el pedúnculo en el centro del pseudotallo y emergiendo del centro de la corona de hojas; flores en ramilletes; y, como fruto, una baya.

DAHLGREN *et al.* (1985), mencionan que el tallo de la Musaceae llamado "tronco", es subterráneo, corto y fino. Las hojas grandes, están espiraladamente dispuestas, formando una roseta basal y se sobreponen unas sobre las otras sucesivamente longitudinalmente, formando un pseudotallo alrededor del tallo hasta su parte final.

Según MOREIRA (1987), el pseudotallo está formado por las vainas foliares que se sobreponen concéntricamente, dando un formato cilíndrico a ese órgano, pudiendo alcanzar de 1,2 m a 8,0 m de altura, entre 10 cm y 50 cm de diámetro y una masa entre 10 kg a 50 kg. El raquis es alargado del cilindro central del rizoma, tiene su inicio en el punto de fijación de la última hoja y su final en la inserción de la primera penca; está revestido por pelos rudimentarios, y puede variar de 0 a 100 cm de longitud, y tener entre 3 cm y 12 cm de diámetro. El raquis se define botánicamente como el eje, donde se insertan las flores de una inflorescencia; iniciándose a partir del punto de inserción de la primera mano de banano y terminando en el botón floral.

En la Musaceae existen vasos restrictivos a las raíces, conteniendo placas de perforación escalariformes y también simples; la capa externa de la raíz, algunas veces con periderme, tiene cavidades llenas de aire y la estela contiene numerosos vasos dispersos e islas de floema con varios elementos cribados; sacos rafídeos ampliamente distribuidos dentro de la planta, conteniendo cristales de oxalato de calcio que aparece como cristales romboédricos; los autores también describen la existencia de cuerpos de sílica en los retoños, la mayoría de las veces ligados a los haces vasculares (TOMLINSON, 1969); DAHLGREN *et al.* (1985).

La existencia de laticíferos, del tipo articulado simples e intercomunicados en la Musa, está mencionada por diferentes autores (MONTGOMERY, 1954; ESAU, 1972; FAHN, 1978 y ALQUINI, 1992). Haberlandt (1918)[7] citado por ALQUINI (1992), menciona que los laticíferos articulados poseen septos transversales de las células, y son perforados por uno o más poros. Los laticíferos son mencionados como claves en la identificación de la familia Musaceae por DAHLGREN *et al.* (1985) y asociados a los haces de fibras vasculares en todas partes de la planta, menos en las raíces.

ALQUINI (1992), estudiando la *Musa rosacea* Jacq., encontró látex tanto en las células especializadas (laticíferos articulados), como en las células del parénquima, constituyendo tejidos secretores. Los autores antes mencionados, concuerdan en que el látex de la Musa está compuesto principalmente por taninos, siendo visible su presencia por la secreción de la savia, o sea de una sustancia acuosa, la cual se torna café oscuro cuando se expone al sol, (PURSEGLOVE, 1972 y DAHLGREN *et al.*, 1985). Fahn (1990)[8] citado por ALQUINI (1992), menciona que los taninos, cuando son observados en la microscopía de luz, aparecen como aglomerados de corpúsculos de color amarillo, rojo o castaño.

PORTER (1989) relata que los taninos vegetales están presentes en grandes concentraciones en la mayor parte de las plantas leñosas de las coníferas y de las latifoliadas dicotiledóneas, particularmente en la corteza y en los frutos; en cuanto a las latifoliadas monocotiledónas, tales como las familias Palmae, Musaceae e Iridaceae, se encuentran en grandes concentraciones en las hojas y en los frutos.

Algunos usos de los taninos obtenidos de banano, son: tinta textil (MONTGOMERY, 1954); y como mordiente para tejidos y en la fabricación de tinta (PURSEGLOVE, 1972).

---

[7]   HABERLANDT, G. **Physiologische pflanzenanatomie.** Leipzig, Verlag von Engelmann, 1918

[8]   FAHN, A. **Plant anatomy.** Oxford, 4 ed. Pergamon Press, 1990.

Los taninos vegetales según FENGEL & WEGENER (1989), son compuestos fenólicos que van desde el simple fenol hasta sistemas flavonoides condensados, pudiendo ser extraídos con agua caliente de la madera y de otros materiales (BUCHANAN, 1952).

JENSEN *et al.*, (1963); WENZEL, (1970); y FENGEL & WEGENER, (1989) clasifican los taninos en hidrolisables y condensados. Los taninos hidrolisables, según BROWNING (1963), contienen uniones ésteres y glicosídicas, siendo generalmente ésteres del ácido gálico (galotaninos) y sus dímeros (ácido digálico y ácido elágico), conocidos como elagitaninos. Con respecto a esto, WENZEL (1970) comenta que los taninos hidrolisables son ésteres de un azúcar, principalmente la glucosa, con uno o varios ácidos carbocíclicos polifenólicos.

En relación con los taninos condensados, WENZEL (1970) los define como constituidos por monómeros del tipo catequina, y JENSEN *et al.* (1963) narran que cuando son tratados con ácido, producen fleobáfeno.

Los taninos (STAMM & HARRIS, 1953), pueden ser caracterizados cualitativamente por ser compuestos solubles en agua, de gusto astringente, que producen coloraciones azul oscuro o verde con sales férricas; precipitan la gelatina, las proteínas solubles y los alcaloides en solución; se combinan con las proteínas de la piel para producir cuero. BROWNING (1963) relata que los taninos vegetales hidrolisables producen coloración azul con sales férricas, y verde con taninos del tipo catecol o pirocatequina.

En los procesos de pulpeo, los taninos llegan a interferir en las reacciones de los procesos sulfito, y bisulfito, pudiendo provocar reacciones de reducción, produciendo tiosulfato provocando la condensación de los grupos alcohol bencílicos de la lignina (WENZEL, 1970). Los taninos del tipo flavononas pueden decolorar la pasta. FENGEL & WEGENER (1989), comentan que bajo las condiciones comparables de pulpeo Kraft y soda, los elagitaninos sufren como reacción principal la descarboxilación de los ácidos gálico y elágico, pero son resistentes al álcali bajo condiciones de pulpeo a la soda fría o mecánica alcalina.

SEMANA *et al.* (1978), analizando las fibras del pseudotallo de banano, concluyeron que pueden ser comparadas con las fibras de materiales convencionales usados en la producción de papel, tales como madera de coníferas y abacá.

DARKWA (1987) relata que las fibras obtenidas del pseudotallo de banano tienen en promedio 4,0 mm de longitud, en tanto que TORRES (1981), estudiando las fibras el raquis de banano, encontró fibras flexibles, con buena superficie de contacto y buena unión fibra-fibra, lo que permitió clasficarlas como fibras excelentes para fabricación de papel.

ALQUINI (1992), estudiando las fibras de la *Musa rosaceae* Jacq., encontró fibras libriformes, y libriformes septadas en el rizoma, en el escapo floral, en el limbo y en la vaina foliar, siendo que ésta última presentaba la mayor longitud (valor medio de 3,051 mm). El resumen se presenta en el Cuadro 3.1

Cuadro 3.1
Dimensiones medias de las fibras de Musa

Característica	Raquis[1]	Pseudotallo[1]	Vaina foliar[2]
Procedencia	Costa Rica	Filipinas	Brasil
Longitud (mm)	3,0-3,8	4,10	1,425-5,411
Diámetro tangencial (mm)	0,027	0,025	0,021
Espesor de la pared (mm)	0,005	0,004	--
Diámetro del lumen (mm)	0,018	0,017	--

[1] *'Giant Cavendish'*   [2] *Musa rosaceae* Jacq.

REFERENCIAS: TORRES (1981), SEMANA *et al.* (1987), ALQUINI (1992), BLANCO (1996)

SEMANA *et al.* (1978), al estudiar siete variedades diferentes de bananeras, concluyeron que estas fibras en grupo son un material apropiado para producción de celulosa y papel y presentan, en relación con las fibras del abacá, menos pentosanas, holocelulosa y α–celulosa; más lignina; mayor cantidad de solubles en alcohol-benceno y en hidróxido de sodio al 1 %; además de contener más cenizas y sílice. Al compararlas con otros materiales fibrosos, tales como el sisal, presentaron mayor cantidad de holocelulosa, menos de lignina y solubles en alcohol-benceno; comparadas con madera de coníferas y de latifoliadas presentan mayor cantidad de cenizas y de sustancias solubles en hidróxido de sodio al 1 %.

SHEDDEN (1978) y TORRES (1981), estudiando la composición química de las fibras del raquis de banano, (variedad 'Giant

Cavendish'), encontraron bajo contenido de lignina (11,73 %, base seca) y altos contenidos de celulosa y de hemicelulosas (53,50 % y 15,92 % en base seca, respectivamente). Estas características, según las autoras, tornan la especie apropiada para obtención de pulpas de alto rendimiento y de pulpas de fácil refinación.

Con respecto a los materiales secundarios, SHEDDEN (1978) determinó que el raquis de banano contiene bajos contenidos de resina y de extractos totales, (0,83 % y 3,34 %, en base seca, respectivamente), y altos contenidos de materiales solubles en agua fría y en agua caliente (11,0 % y 13,39% en base seca, respectivamente).

Analizando la composición química de las fibras del pseudotallo del banano, variedad 'Giant Cavendish', SEMANA *et al.* (1987), encontraron un alto contenido de α–celulosa (62,7 %) y un bajo contenido de lignina (12,7 %) y concluyeron que entre otras variedades de bananeras estudiadas, ésta es la más recomendable para ser usada en gran escala en la producción de celulosa, pues presenta alto contenido de α–celulosa y bajos contenidos de materiales solubles en NaOH 1 %, cenizas y sílice.

Cuadro 3.2
Caracterización física del raquis de banano *in natura*

Característica	Medio	Máximo	Mínimo	Desviación estándar
Contenido de humedad (% base húmeda)	93,6	94,93	92,98	0,50
Densidad básica (kg/m^3)	0,051	0,052	0,049	0,001
Densidad aparante (kg/m^3)	0,954	0,969	0,947	0,009
Densidad de empaquetado (kg/m^3)[ ]	421	--	--	--
Contenido de humedad de saturación (% base húmeda)	94,64	94,83	94,46	0,139
Longitud (m)	0,724	0,885	0,600	0,096
Diámetro (m)				
Apical	0,285	0,374	0,200	0,055
Medio	0,399	0,480	0,306	0,049
Basal	0,5113	0,620	0,411	0,061
Masa (kg)	1,800	2,880	1,280	0,309

[ ] Este dato fue suministrado por el Ing. José Lopéz de la empresa BANDECO de Costa Rica

REFERENCIA: BLANCO (1996)

El raquis de banano tiene una forma casi cilíndrica, encontrándose el diámetro menor en el extremo más próximo al botón floral. Los resultados de las propiedades físicas el raquis de banano se presentan en el Cuadro 3.2.

La longitud del raquis de banano es muy variable porque depende entre otros factores, de donde el trabajador haga el corte y de la estación del año en que es hecha la colecta. Debido a su alto contenido de humedad, cuando el material se seca al aire o en el horno, sufre una gran contracción volumétrica.

CARACTERIZACIÓN ANATÓMICA, MACROSCÓPICA Y MICROSCÓPICA DEL RAQUIS DE BANANO *in natura*

ESTRUCTURA TRANSVERSAL

El raquis de banano, en su sección transversal, presenta una estructura anatómica caracterizada por numerosos haces fibrovasculares envueltos por células de parénquima, con epidermis papilosa y suberestratificado.

Las células están dispuestas en el sentido longitudinal, con células dispuestas en el sentido radial, como los radios de las dicotiledóneas y gimnospermas.

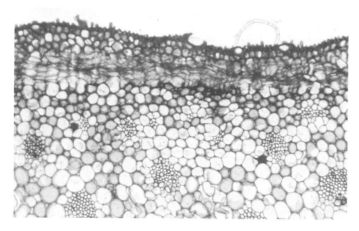

Figura 3.1. Micrografía de la sección transversal del raquis de Musa Grupo AAA "Giant Cavendish", próxima a la epidermis (40 x). (BLANCO, 1996)

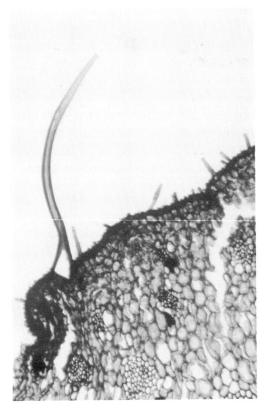

Figura 3.2. Micrografía de la sección transversal del raquis de Musa Grupo AAA "Giant Cavendish" mostrando los tricomas (100 x). (BLANCO, 1996)

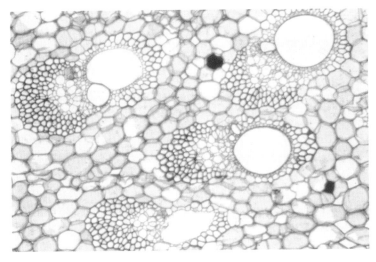

Figura 3.3. Micrografía de la sección transversal del raquis de Musa Grupo AAA "Giant Cavendish", mostrando los haces fibrovasculares (100 x). (BLANCO, 1996)

Los tejidos del raquis de banano están formados de los siguientes tipos de células: células de parénquima formando el tejido fundamental; elementos traqueales con espesamiento helicoidal, con células compañeras formando los haces fibrovasculares; y fibras. Esta estructura de la sección transversal del raquis está mostrado en la Figura 3.1.

El tejido parenquimático es más abundante en las capas más internas del raquis, disminuyendo gradualmente en la dirección hacia a la periferia. Los haces vasculares son formados por el xilema, con un elemento traqueal y algunas veces con dos y con uno ó dos vasos de metaxilema. El xilema puede ser observado en la Figura 3.1.

En el sentido transversal, los elementos traqueales del raquis son de diámetro mayor y se encuentran en menor número en la parte interna, existiendo de menor diámetro y en mayor número en la parte externa; los haces mayores tienen más floema y aparece mayor número de elementos traqueales.

La distribución de las vainas o haces son al azar en el haz fibrovascular (distribución atastotélica), presentando haces de fibras aislados en un lado o en ambos lados del haz vascular, o sea, ellos no cierran el elemento, y se encuentran en mayor cantidad en el área opuesta al metaxilema.

Los tricomas de la epidermis son del tipo unicelular y de diferentes tamaños, cortos y muy largos; se observan en la Figura 3.2. Con luz polarizada, se observan muchos cristales prismáticos amorfos, lo que significa que no son de sílice, en los elementos traqueales y en algunas células de parénquima; en la Figura 3.5 se muestran los cristales en los elementos traqueales.

ESTRUCTURA LONGITUDINAL

En la estructura longitudinal, observando de afuera para dentro existe: epidermis, varias capas de parénquima, vainas de fibras aisladas, capas de floema junto a los haces fibrovasculares y canales o ductos, conocidos como laticíferos, llenos de taninos de color rojo castaño. Un detalle de la estructura longitudinal se muestra en la Figura 3.4.

ANATOMÍA Y MORFOMETRÍA DE FIBRAS

BLANCO (1996) encontró que hay variación de la longitud de las fibras del raquis de banano entre las partes basal y apical y en esas posiciones hay variación de la parte interna a la externa, o sea de la médula para la periferia.

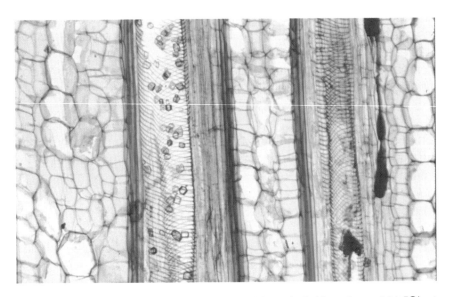

Figura 3.4. Micrografía de la sección longitudinal del raquis de Musa Grupo AAA "Giant Cavendish" (40 x). (BLANCO, 1996)

Cuadro 3.3
Dimensiones de las fibras del raquis de banano

Característica	Valor Medio	Valor Máximo	Valor Mínimo	Coeficiente de variación (%)
Ancho de la fibra (μm)	27,8	52,3	15,6	24
Diámetro del lumen (μm)	18,2	40,8	7,8	34
Espesor de la pared (μm)				
Longitud (μm)	4,8	8,7	1,7	30
Basal-externa	3 003	5 227	1 426	29
Basal-interna	3 857	6 336	1 996	24
Apical-externa	2 944	5 734	1 267	31
Apical-interna	3 136	5 892	1 346	23

REFERENCIA: (BLANCO, 1996)

En el Cuadro 3.3 se presentan los resultados medios, máximos, mínimos y el coeficiente de variación, para el diámetro de la fibra, el diámetro del lumen y el espesor de la pared. Debido a que la longitud presentó variación en las diferentes posiciones, los resultados para cada una, así como también la distribución de las fibras por su longitud, se muestran en el Cuadro 3.4.

Las diferentes relaciones morfológicas entre las dimensiones de las fibras de banano pueden ser observadas en el Cuadro 3.5.

Cuadro 3.4

Distribución por longitud de las fibras del raquis de banano

Longitud de la fibra	Ámbito (mm)	Proporción (%)			
		Basal externo	Basal interno	Apical externo	Apical interno
Extremadamente cortas	(< 0,5)	0	0	0	0
Muy cortas	(0,5 < 0,7)	0	0	0	0
Moderadamente cortas	(0, 7 < 1,6)	2	0	3	1
Moderadamente largas	(1,6 < 2,2)	15	3	17	9
Muy largas	(2,2 < 3,0)	37	19	35	33
Extremadamente largas	(> 3,0)	46	78	45	57

REFERENCIA: (BLANCO, 1996)

Cuadro 3.5

Relaciones morfológicas de las fibras del raquis de banano

Características	Valor medio
Coeficiente de flexibilidad (%)	31
Factor de Runkel	1,1
Fracción pared	34
Índice de esbeltez	
Basal-externa	108
Basal-interna	139
Apical-externa	106
Apical-interna	113

REFERENCIA: (BLANCO, 1996)

DIÁMETRO DE LOS ELEMENTOS TRAQUEALES

Los valores del diámetro medio, máximo y mínimo para los elementos traqueales, en las posiciones basal y apical, junto con su coeficiente de variación se presentan en el Cuadro 3.6.

Debido a los altos valores del coeficiente de variación, fue hecha una distribución por tipo de diámetro de los elementos traqueales, según lo especificado por TORTORELLI (1956), esta se presenta en el Cuadro 3.7.

Cuadro 3.6

Diámetro de los elementos traqueales del raquis de banano

Posición	Diámetro (μm)			Coeficiente de variación (%)
	Medio	Máximo	Mínimo	
Basal	197	315	79	85
Apical	149	216	82	64

REFERENCIA: (BLANCO, 1996)

Cuadro 3.7

Distribución por el tipo de diámetro de los elementos traqueales

Tamaño de diámetro	Ámbito (μm)	Proporción (%)	
		Basal	Apical
Pequeño	(25 a 100)	2	3
Mediano	(100 a 200)	38	93
Grande	(200 a 300)	56	4
Muy grande	(> 300)	4	0

REFERENCIA: (BLANCO, 1996)

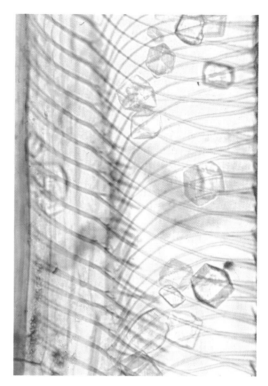

Figura 3.5. Micrografía de un elemento de vaso del raquis de Musa Grupo AAA "Giant Cavendish" mostrando los cristales (100 x). (BLANCO, 1996)

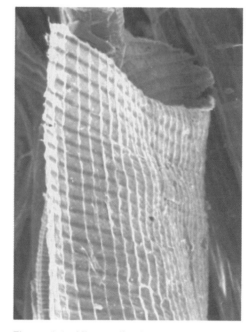

Figura 3.6. Micrografía de un elemento de vaso del raquis de Musa Grupo AAA "Giant Cavendish" (100 x). (BLANCO, 1996)

Cuadro 3.8

Caracterización química del raquis de banano *in natura*

Características	Promedio	Coeficiente de variación (%)
Compuestos esenciales o primarios		
Holocelulosa* (% base seca libre de extractos y de inorgánicos)	≈33	--
Lignina (% base seca libre de extractos)	8,67	18,75
Compuestos secundarios o extraños		
Extractos totales (% base seca)	44,16	3,22
Material inorgánico (% base seca)	22,84	0,23
Solubilidad en:		
agua caliente (% base seca)	43,22	1,91
agua fría (% base seca)	37,25	9,05
NaOH 1% (% base seca)	61,45	0,77
Taninos (% base seca)	0,67	1,33
Poder calórico superior (kcal/kg)	3 296	1,76

*Calculado por diferencia

REFERENCIA: (BLANCO, 1996)

CARACTERIZACIÓN QUÍMICA DEL RAQUIS DE BANANO

La caracterización química del raquis de banano en cuanto a la composición, substancias solubles, poder calórico y contenido de taninos, se presenta en el Cuadro 3.8. para el material en su forma original o *in natura*.

CONCLUSIONES

Físicamente, el raquis de banano posee un alto contenido de humedad (93,6 %), por lo que la razón de contracción volumétrica de húmedo a seco es muy alta. La densidad básica es bajísima, 0,051 kg secos por cada metro cúbico de material húmedo, y la densidad aparente es de 0,954 kg por cada metro cúbico de material, con la humedad original del raquis de banano.

Anatómicamente, el raquis de banano presenta una estructura típica de una monocotiledónea: haces vasculares inmersos en un mar de parénquima, el metaxilema con uno o dos elementos traqueales, con espesamiento helicoidal y gran cantidad de cristales refringentes a la luz polarizada; el floema está compuesto de proto y meta floema disperso al azar y presenta canales o ductos (laticíferos) con sustancias de color rojo.

Morfológicamente, las fibras del raquis de banano son extremadamente largas, el 80 % tiene longitudes mayores de 3,0 μm). Las fibras poseen diámetros medianos de 18,2 μm, en promedio y paredes finas, con un valor promedio de espesor de 4,8 μm.

Los diámetros de los elementos traqueales son medianos, de 100 μm a 200 μm, y varían según la posición donde se encuentren. En promedio tienen un valor de 197 μm en la base y de 149 μm en la sección apical del raquis de banano.

Analizando las relaciones morfológicas, según el Índice de Runkel, las fibras del raquis de banano se clasifican en el grupo IV, por lo que pueden ser consideradas como fibras de regular calidad para la producción de papel. Según el Coeficiente de Flexibilidad, se puede decir que las fibras presentan poca superficie de contacto, poca unión entre fibra y fibra, y que han sufrido poco colapso; además, presentan índices de esbeltez entre 106 y 139; cuanto mayores estos índices las fibras se consideran flexibles y con buenas posibilidades de formar papeles bien ligados.

Químicamente, el raquis de banano en su forma natural contiene altos contenidos de extractos (44,16 %) y de materiales inorgánicos (22,84 %), siendo bajo el contenido de lignina (8,67 %) y relativamente bajo el contenido de holocelulosa (24,33 %), en relación con especies maderables. Además, contiene gran proporción másica de sustancias solubles en agua caliente (43,22 %), en agua fría (37,25 %) y en hidróxido de sodio al 1 % (61,45 %). Posee taninos de color castaño o rojo, del tipo hidrolisables, por la reacción azul que presentan con las sales férricas y su contenido es muy bajo (0,67 %).

Energéticamente, el raquis de banano presenta un poder calorífico superior promedio de 3296 kcal/kg, valor inferior al de la madera.

El material beneficiado mediante proceso alcalinos (BLANCO, 1996), presenta un alto contenido de holocelulosa (86,37 %); pocos solubles en agua caliente (2,03 %) y en hidróxido de sodio al 1 % (4,75 %) y no contiene sustancias solubles en agua fría; además, los extractos totales son despreciables (1,13 %), el contenido de lignina es bajo (10,18 %) y la cantidad de material inorgánico bajó notablemente (2,32 %) en relación con el material original.

CAPÍTULO IV

BENEFICIADO DE FIBRAS ANUALES

Este capítulo contiene una detallada revisión de literatura sobre los diferentes métodos de beneficiado de fibras anuales: manuales, físicomecánicos y termoquímicos.

Para el nivel industrial la experiencia está basada en el bagazo de caña de azúcar, material semejante en estructura al raquis del banano.

Se presentan los resultados de las experiencias realizadas a nivel de laboratorio con el raquis de banano, los rendimientos obtenidos y la eficiencia de separación de la "médula" o material parenquimático para la obtención de fibras limpias para uso en pulpeo.

REVISIÓN BIBLIOGRÁFICA

MONTGOMERY (1954) relata que a través de la historia, la celulosa ha sido un material muy importante en la vida económica del hombre. Los egipcios ya usaban fibras de celulosa de la planta de papiro para vestuario y papel.

Comenta, además, que la celulosa está presente en toda materia vegetal, variando su calidad de acuerdo con el tipo de planta y raramente aparece sola en la naturaleza, estando siempre asociada a otras sustancias. Hace mucho tiempo, los pueblos antiguos hacían pequeños mejoramientos en los métodos de extracción de celulosa, provenientes de fibras largas presentes en plantas tales como: cáñamo, lino, ramio y algodón.

En general, las fibras obtenidas de las monocotiledóneas y en particular de las hojas de banano, son clasificadas como "fibras de las hojas", del inglés "leaf fibers", por el hecho de ser generalmente endurecidas y de textura más gruesa que las fibras obtenidas de los tallos de las plantas dicotiledóneas, denominadas "fibras de la corteza", del inglés "bast fibers" (ATEN et al., 1953; MONTGOMERY, 1954; ESAU, 1972).

Esas "fibras duras" se encuentran en haces, que son verdaderos agregados de células individuales con los finales sobrepuestos, produciendo filamentos continuos a lo largo de la hoja (MONTGOMERY, 1954). En el tallo los haces están dispersos por todo el tejido principal, formando el sistema vascular (FAHN, 1978). Los haces generalmente están envueltos por células parenquimáticas, conocidas como "médula" (del ingles "pith"), este particular está descrito para el bambú por TOMAZELLO & AZZINI (1988) y para el bagazo de caña de azúcar, por ATCHINSON (1987b). Con respecto al pseudotallo del banano, DARKWA (1987) relata que la relación entre fibras y médula es de 70:30.

El término "beneficiado de fibras" usado ampliamente en la literatura consultada, ha sido definido como un proceso de limpieza de las fibras provenientes de varios tipos de materiales vegetales, tales como: ramio, abacá, bagazo de caña de azúcar, lino, kenaf, etc. Es conocido también por los nombres de "desmedulamiento" en español, "desmedulamento" en portugués, y "depithing", en inglés. Básicamente, consiste en la separación del tejido parenquimático que envuelve los haces de fibras, además de pectinas y otras sustancias que son indeseables en los procesos de producción de celulosa, de papel y de paneles de buena calidad.

Cuando se utilizan residuos agroindustriales, en la producción de celulosa, papel y paneles, ATCHISON (1972, 1987b, 1988) afirma que la médula debe ser removida, siempre que sea posible. Cuando ambos, la médula y los materiales indeseables son separados totalmente de las fibras, ellas aparecen limpias y uniformes, para el uso en las operaciones subsecuentes de pulpeo. El autor afirma que, independientemente del proceso de pulpeo, la médula presenta una mínima resistencia a la penetración y a la acción de reactivos químicos, consumiendo una gran porción de ellos y generando un bajo rendimiento de pulpa utilizable. Además de esto, los componentes no fibrosos *in natura* que quedan en la pulpa, dañan su calidad y afectan el acabado final del papel. (GONZÁLEZ *et al.*, 1993; PATEL *et al.*, 1985). En relación con el banano, DARWA (1987) menciona la necesidad de reducir al mínimo o de ser posible eliminar la médula, cuando el pseudotallo va a ser utilizado en la producción de celulosa para papel.

Refiriéndose a diferentes materiales vegetales ATCHINSON (1987b), afirma que el beneficiado de los materiales debe ser económicamente viable y hecho por medios mecánicos.

En la literatura son mencionados diferentes procesos de beneficiado mecánico aplicado a diversas plantas anuales (ATEN *et al.*, 1953; MONTGOMERY, 1954; COOK, 1968; ESTUDILLO, 1977; BENATTI JUNIOR, 1988; GROOT *et al.*, 1988; ATCHINSON, 1987b, 1988, 1989; SANTANA y TEIXEIRA, 1993).

El beneficiado manual de plantas anuales es presentado por BENATTI JUNIOR (1988), cuando es aplicado al ramio; por ESTUDILLO (1977) para las fibras del abacá y, por ATEN *et al.* (1953), para el pseudotallo del banano. Este proceso consiste en raspar manualmente la epidermis del vegetal mediante el uso de cuchillos, produciendo bajísimo rendimiento de fibra, además es necesario el empleo de mucha mano de obra.

En Filipinas, para el beneficiado de las fibras del pseudotallo de las vainas foliares del abacá (*Musa textilis* Nee), MONTGOMERY (1954) comenta que el método usado más ampliamente y más viejo, consta de dos operaciones: separación de la capa externa fibrosa de cada vaina foliar, conocido como "tuxying", seguida de la remoción del material mucilaginoso, liberando así los filamentos, denominados simplemente de "fibras del tuxy" o fibras.

Ambas operaciones son efectuadas después del corte o caída del pseudotallo. El trabajador introduce la punta de un cuchillo entre las capas externa e intermedia del pseudotallo, liberando la capa externa que presenta aproximadamente 2,54 cm a 7,62 cm de ancho. Esta tira es halada en la longitud total de la vaina, obteniéndose de dos a tres tiras o "tuxies", las cuales son tiradas de la plantación para su posterior limpieza. La eliminación del material no fibroso es hecha de dos formas: manual o mecánica. La forma manual conocida en inglés como "hand stripping", a pesar de ser una práctica primitiva, produce la fibra de abacá más fina del mundo. Consiste en eliminar el material pulposo de la fibra, halando la tira con la mano, entre un cuchillo con un lado dentado, el cual es contrapesado con un bloque de madera. El material restante del pseudotallo es dejado en la plantación donde sufre descomposición biológica y se incorpora al suelo como fertilizante.

El uso de desfibradoras rotatorias o máquinas de desmedulamiento mecánico con alimentación manual para el beneficiado mecánico de las plantas anuales, ha sido mencionado por diversos autores (ATEN *et al.*, 1953; MONTGOMERY, 1954; y BENATTI JUNIOR, 1986; entre otros).

El proceso mecánico, conocido en inglés como "spindle stripping" se realiza en una pequeña máquina raspadora. El aparato consta de un tambor rotativo, en cuya superficie están montadas escuadras en "L", que golpean el material como si fuesen cuchillas romanas. El conjunto, representado por el tambor más las cuchillas, es protegido por una carcaza móvil, que tiene enfrente una boca de alimentación. El tambor es accionado por un motor, que puede ser accionado con diesel, exigiendo una potencia instalada de 9 hp. Además del inconveniente de la alimentación manual, que exige mucha mano de obra, la máquina presenta bajo rendimiento operacional y su manejo es extremadamente peligroso para las personas que la operan.

Este equipo ha sido empleado en el beneficiado de diferentes fibras a través del mundo: de sisal y henequén en México, de cabuya, en Costa Rica, de las vainas foliares del banano, en las Filipinas y del ramio, en Brasil. Es conocida en México, como raspadora; en Brasil, como "periquito" y en inglés como "hagotan" (BENATTI JUNIOR, 1988; MONTGOMERY, 1954; y ATEN *et al.*, 1953).

En las descortizadoras de alimentación mecánica, presentadas por BENATTI JUNIOR (1988), el material entra al equipo a través de esteras. En lo que concierne a las desfibradoras manuales, se puede decir que son equipos que ofrecen mayor seguridad a los operadores, produciendo fibras con mejor calidad y mayor uniformidad, presentando mayor capacidad de producción y generando un volumen hasta seis veces mayor de fibras brutas.

ESTUDILLO (1977), comenta sobre un equipo en que las hojas de abacá son introducidas totalmente y pasan entre un rodillo corrugado.

En las Filipinas son utilizados también pequeños raspadores, conocidos como descortizadoras, en los cuales el pseudotallo del banano es cortado en tiras de longitudes no menores de

1,2 m (4 ft), ni mayores de 1,8 m (6 ft), las cuales son alimentadas horizontalmente a través de rodillos exprimidores o trituradores, los cuales aplanan y esparcen el material por la acción de navajas raspadoras (MONTGOMERY, 1954). Para el beneficiado del pseudotallo del banano, ATEN *et al.* (1953), recomiendan el uso de descortizadoras con capacidad media, operando con dos tambores, que ofrecen mayor capacidad, donde navajas colocadas en el primer tambor son más largas que las que están en el segundo, existiendo la posibilidad de lavar el material beneficiado en algunos de los casos.

ESTUDILLO (1977) relata sobre el desarrollo de un método de extracción y beneficiado de fibras anuales, eficiente y económico, en el cual es utilizado un equipo denominado FORPRIDECOM, pudiendo ser empleado para materiales fibrosos agrícolas tales como: abacá, banano, sisal (*Agave sisalana*), kenaf, magüey, hojas de piña, paja de arroz, bagazo de caña de azúcar, etc, con la finalidad de utilizar las fibras en la producción de pulpa para papel (ESCOLANO *et al.*, 1979).

En este equipo, los materiales que van a ser beneficiados son cortados en longitudes entre 5 cm y 15 cm y alimentados directamente en la máquina, la cual los desfibra rápida y continuamente, separando al mismo tiempo el material parenquimático. El proceso permite una extracción continua de fibras, con rendimientos entre el 50 % y el 60 % mayores que en los procesos tradicionales, mencionados anteriormente.

ESTUDILLO (1977) relata que esta máquina es fácilmente opera-da por dos hombres, pudiendo ser fija o portátil, permitiendo el beneficiado de los materiales directamente en la plantación, evitando así el movimiento, lo que reduce los costos de transporte. La fracción de parénquima extraída en el proceso, puede ser devuelta a la plantación, actuando como abono o fertilizante y protegiendo las raíces de plantas nuevas o recién plantadas. Puede también, ser vendida como substrato para la cultura de hongos.

ESCOLANO *et al.* (1979) beneficiaron el pseudotallo del banano por el proceso FORPRIDECOM, obteniendo un 58,8 % de fibras limpias, un 38,5 % de parénquima y un 2,7 % de haces no desfibrados; en la fracción de parénquima, encontraron el 72,2 % de células de parénquima y el 27,8 % de fibras quebradas o finas.

Según el ICAITI (1988a), el proceso de maceración de materiales vegetales para la producción de fibra es un proceso antiguo, en el cual ocurren varias reacciones biológicas y bioquímicas complejas entre los carbohidratos, glucósidos, taninos, compuestos nitrogenados y materiales colorantes, dejando intactos los haces de fibras, cuando el proceso se lleva a cabo por un periodo de tiempo correcto.

BENATTI JUNIOR (1988), relata que cuando las fibras van a ser utilizadas en la confección de tejidos, éstas deben ser lavadas a fin de eliminar casi por completo las pectinas, siendo por esto denominado "proceso de desgomado". Según él, para el ramio, en Brasil son utilizados tres procesos de desgomado: biológicos, físicos y químicos.

En el desgomado por procesos biológicos o maceración, los materiales crudos son sumergidos en agua y sometidos a la acción de microorganismos que provocan fermentación de las pectinas o aglutinantes, por periodos que varían entre ocho y quince días, dependiendo de la temperatura y la agitación del agua; de la cantidad de microorganismos de pudrición existentes en ella, y también de la edad y del tamaño del material a ser procesado (ESTUDILLO, 1977; BENATTI JUNIOR, 1988; ICAITI, 1988a; y entre otros).

El beneficiado de fibras de ramio por procesos físicos o de vaporización es efectuado lavando las fibras por calentamiento, seguido de la centrifugación de éstas para la eliminación de las sustancias solubles en agua (BENATTI JUNIOR, 1988).

A nivel de laboratorio, AB EL-REHIM & TARABOULSI (1987) mencionan el uso de vapor directo en el desmedulamiento de bagazo de caña de azúcar, entretanto ZHAI *et al.* (1988) presentan un método de decantación en la separación de las células de parénquima del tallo de trigo.

Los procesos de beneficiado de fibras por procesos químicos, denominados de "desgomado total" exponen las fibras a productos químicos, tales como: hidróxido de sodio o de potasio, que disuelven las sustancias no solubles en agua (BENATTI JUNIOR, 1988). Cuando el bagazo de caña de azúcar es beneficiado a una concentración del 2 % al 3 % de agentes químicos, el proceso es denominado de "proceso mojado" o "en suspensión" (SANTANA & TEIXEIRA, 1993).

Para el beneficiado de bagazo de caña de azúcar, AB EL-REHIM & TARABOULSI (1987) utilizaron carbonato de calcio ("lime"). Ellos afirman que el carbonato de calcio es efectivo para romper las ligaciones de hidrógeno entre la médula y las fibras, y que este proceso puede ser considerado como un primer estado en el proceso de pulpeo de este material, resultando en una disminución del consumo de reactivos químicos.

BENEFICIADO DE PLANTAS ANUALES A NIVEL INDUSTRIAL

ATCHISON (1972, 1987b), menciona que después de la extracción de azúcar del bagazo de caña de azúcar (*Saccharum officinarum*), la masa del tallo seco en estufa contiene cerca del 30 % de médula o células de parénquima, cerca del 5 % de material denso de epidermis, un 15 % de elementos fibrosos (largos y cortos), de pared fina y lúmenes largos; además de vasos de pared fina, siendo que el restante 50 % son haces de fibra de alta calidad, condensados en la parte dura o espesa del tallo, compuestos por fibras finas, fuertes, flexibles y apropiadas para la producción de muchos tipos de papel.

Esta descripción del bagazo de caña de azúcar es muy semejante a la morfología presentada por el raquis de banano y puede ser aplicada a procesos de beneficiado semejantes para ambas especies.

Además de esto, ATCHISON (1989) menciona que la tecnología desarrollada para el desmedulamiento y la producción de celulosa para bagazo de caña de azúcar y bambú, parece ser aplicable con éxito a cualquier fibra anual. Por lo tanto, se presentará aquí un breve resumen sobre beneficiado de bagazo de caña de azúcar y serán consideradas las informaciones obtenidas como potencial en la escogencia de un método de beneficiado del raquis de banano.

ATCHISON (1987b) menciona cuatro formas en que puede entrar el bagazo de caña de azúcar a un proceso de beneficiado: seco, entre un 10 % y un 25 % de humedad, húmedo ("moist") con un 50 % de humedad, tal como llega al ingenio y el mojado ("wet") en el cual el bagazo de caña de azúcar entra en un desagregador ("hydrapulper") con una consistencia entre el 10 % y el 18 %, siendo descargado, antes del digestor, con consistencia entre el 16 % y el 22 %. La primera forma es inadecuada para fabricación de productos de altísima calidad y la segunda es la más económica, lo que lleva al autor a concluir que la mejor solución es una combinación de por lo menos dos de las formas anteriores, generalmente, seco o húmedo en la primera etapa, seguida del desmedulamiento mojado.

A lo largo del tiempo han sido diseñados varios tipos de equipos para efectuar el beneficiado de materiales vegetales. Las máquinas más modernas y especialmente desarrolladas para el beneficiado del bagazo de caña de azúcar y materiales similares, son todas diseñadas para alcanzar el mismo efecto básico, o sea, separar los grandes haces de fibras, exponiendo la médula o por fricción o por ruptura mecánica, aflojando las fibras, separándose las dos fracciones en una sola operación. Los seis equipos más conocidos en el mundo para alcanzar ese resultado son similares y emplean un rotor, provisto de martillos en parte rígidos y en parte móviles, que circundan completamente los platos de mallas perforadas, a través de los cuales pasa la fracción de médula, pudiendo ser recolectada separadamente de la fracción de las fibras. En todas las máquinas menos una, el bagazo de caña de azúcar entra en la máquina en el sentido del eje y viaja a lo largo de éste hasta la salida de descarga de la fibra. Algunos equipos son de eje horizontal y otros de eje vertical (ATCHISON, 1987b).

Para el beneficiado del raquis de banano BLANCO (1996) utilizó astillas con dimensiones promedio de cerca de: 28,3 mm de ancho en el sentido transversal, 21,4 mm longitud en el sentido longitudinal y 4,5 mm espesor en el sentido radial y aplicó dos tipos de proceso: mecánico y fisicoquímico.

En el caso del beneficiado mecánico, la molienda del material fue fácil, sólo que no fue posible la separación del material parenquimático de las fibras, ambas fracciones se encontraban muy ligadas y el material simplemente fue triturado sin ningún avance para el beneficiado, por este motivo, el tratamiento fue descartado.

Para el proceso fisicoquímico BLANCO (1996) utilizó los tratamientos de impregnación con: agua, NaOH al 5 % y $CaCO_3$ al 10 %, los cuales no fueron eficientes para el beneficiado de la fibra del raquis de banano. Los materiales, después de los tratamientos, presentaban el mismo aspecto que con el molino de martillos; sin embargo, fueron separadas las fracciones. En los tres casos, la fracción "fibra" estaba muy mezclada con el material parenquimático, presentando valores muy altos (desde el 46,9 % hasta el 56,7 %), hecho que demostró el bajo grado de beneficiado.

Cuadro 4.1

Rendimientos de los tratamientos fisicoquímicos de beneficiado de raquis de banano

Tratamiento	Reactivo	Proporción másica (% en base seca)			pH
		"Fibras"	"Médula"	"Solubles"	
Impregnación	H_2O	46,9	10,1	43,0	--
	$CaCO_3$ al 10 %	56,7	8,71	34,6	--
Hitrotérmico sin presión	NaOH al 5 %	50,3	13,04	36,6	--
	H_2O	32,4	22,2	45,3	--
	H_2O	38,5	26,3	35,2	5,4
Hitrotérmico con presión	H_2O	33,2	9,5	57,3	5,0
Termoquímico sin presión	$CaCO_3$ al 10 %	32,2	23,2	44,6	9,4
	$CaCO_3$ al 10 %	40,0	25,1	35,0	9,5
	NaOH al 5 %	33,7	29,5	36,8	8,9
	NaOH al 5 %	34,3	27,2	38,5	9,2
Termoquímico con presión	$CaCO_3$ al 3 %	33,8	12,4	53,8	6,4

REFERENCIA: (BLANCO, 1996)

Cuadro 4.2

Variación porcentual en las fracciones
con el aumento en el tiempo de cocimiento

Tratamiento	Variación al pasar de 1,5 h a 3 h de cocimiento		
	"Fibras" (%)		"Médula" (%)
Hidrotérmico	- 15,3	+ 28,7	- 16,0
Termoquímico con $CaCO_3$ al 10 %	-19,5	+ 27,4	- 7,6
Temoquímico con NaOH al 5 %	- 1,75	+ 4,4	- 8,5

REFERENCIA: (BLANCO, 1996)

Posteriormente, la autora experimentó con tratamientos a presión, sólo con agua (hidrotérmico) y con carbonato de calcio (termoquímico con $CaCO_3$ al 3 %), los cuales fueron eficientes y prácticamente semejantes en el grado de beneficiado del raquis. Con ellos, fueron obtenidas fracciones "fibras" del 33,2 % con el hidrotérmico y del 33,8 % con $CaCO_3$ al 3 %. Los tejidos de parénquima fueron destruidos y eliminados, reflejándose esto en altas proporciones de "solubles": un 57,3 % para el hidrotérmico y un 53,8 % para el termoquímico, siendo por tanto las fracciones "médula" muy bajas (un 9,5 % y un 12,4 % respectivamente).

BLANCO (1996) además, probó un tratamiento con presión y NaOH al 5 %, con el cual no fue posible obtener "fibras", ya que el material viró una "goma negra" imposible de trabajar. La autora atribuye este hecho al producto de la unión de los extractos presentes en el raquis con la soda a alta temperatura y presión. Después de los tratamientos termoquímicos con NaOH al 5 % sin presión, ella también apareció pegada en el eje y en las paredes del desagregador. Esa "goma negra", sólo fue soluble en solventes orgánicos, tales como alcohol etílico o xilol, y pudo ser removida con detergente y acción abrasiva.

Al analizar los tratamientos sin presión, la autora determinó que el hecho de aumentar el tiempo de cocimiento de 1,5 h para 3,0 h en los tratamientos hidrotérmico, termoquímico con $CaCO_3$ al 10 % y con NaOH al 5 %, produce "fibras" más limpias, menor proporción de "médula" y mayor proporción de "solubles". Esto sugiere que, con el aumento del tiempo de cocimiento, hubo una pérdida de material parenquimático que salió en la fracción "solubles". Con respecto a los tratamientos hidrotérmicos y termoquímicos con carbonato de calcio al 10 % y con hidróxido de sodio al 5%, sin presión, se comprobó que el aumento del tiempo de cocimiento de 1,5 h para 3 h, mejoraba el beneficiado. Los tratamientos hidrotérmicos y termoquímicos con carbonato de calcio al 10% y con hidróxido de sodio al 5%, sin presión y con tres horas de cocimiento fueron efectivos y produjeron prácticamente la misma limpieza de las fibras, obteniéndose alrededor del 33 % de fracción "fibras, variando solamente en la proporción de fracción "médula".

En los tratamientos hidrotérmicos y termoquímicos con tiempos de cocimiento de 3 h, la fracción "médula" tenía el aspecto gelatinoso e hinchado mencionado por los autores consultados; esta característica hacía que ella escapase fácilmente por las ranuras del clasificador Somerville, obteniéndose "fibras" muy limpias. Por otro lado, esas "fibras" se encontraban limpias, hinchadas y flexibles, concluyéndose que el material estaba listo para los procesos de refinación y formación de hojas. El resumen de las condiciones y resultados de los beneficiados hidrotérmico y termoquímico a la soda estudiados se presentan en el Cuadro 4.3.

Cuadro 4.3
Resultados de los tratamientos de beneficiado hidrotérmico y termoquímico a la soda, aplicados al raquis de banano

Propiedad	Beneficiado	
	Hidrotérmico	Termoquímico a la soda
Temperatura (°C)	95	95
Relación sólido/líquido	1/20	1/20
Tiempo de cocimiento (h)	3	3
Concentración de NaOH (%)	0	5
pH	9,3	5,7
Sólidos totales (%)	1,50	1,24
Densidad (g/mL)	1,003	0,995
Rendimiento (% másico en base seca)	35,1	30,6

REFERENCIA: (BLANCO, 1996)

De los estudios anteriores de beneficiado, BLANCO (1996) concluye que los tratamientos mecánicos en molino de martillos y los tratamientos fisicoquímicos de impregnación con agua, soda y carbonato de calcio, no fueron efectivos. En cuanto a los tratamientos presurizados, sólo los realizados con agua y con carbonato de calcio al 3 %, fueron efectivos, obteniéndose fracciones "fibras" próximas al 33 %, altas fracciones de "solubles" del 53,8 % y del 57,3 % respectivamente y, por tanto, bajas cantidades de "médula". No fue posible obtener "fibras" limpias cuando se utilizó hidróxido de sodio al 5 %, tornándose el material una "goma negra" difícil de eliminar.

La autora concluye que los tratamientos hidrotémico y termoquímico con $CaCO_3$ al 10 % y NaOH el 5 % a 3 h de cocimiento, así como también, los tratamientos hidrotérmico y termoquímico con $CaCO_3$ al 3 % presurizados, son igualmente efectivos en el beneficiado del raquis de banano, y que, puede ser obtenido al máximo, aproximadamente un 33 % de fibras limpias, con características apropiadas para su posterior refinamiento. Sin embargo, estos tratamientos varían en la cantidad de material no fibroso eliminado, por lo que el tratamiento más eficiente, juntando ambos aspectos, es el hidrotérmico presurizado a 1,5 h.

CAPÍTULO V

PULPEO DE FIBRAS DE BANANO

Este capítulo contiene una detallada revisión bibliográfica sobre el pulpeo de fibras del banano (del pseudotallo, de la nervadura de la hoja y del raquis), bajo diferentes procesos: químicos y mecánicos, así como también sobre la producción de pulpas de disolución.

Además, contiene los resultados de la caracterización física, mecánica y química de las pulpas obtenidas después de dos tipos de beneficiado a presión atmosférica: hidrotérmico y termoquímico con hidróxido de sodio al 5 %. Estos procesos de beneficiado escogidos como métodos alternativos de obtención de pulpa celulósica, consisten principalmente en tres etapas: cocimiento, separación física de sustancias indeseables y refinamiento.

Se presenta también la caracterización física, mecánica y química de diferentes mezclas realizadas entre pulpas de raquis de banano y fibras secundarias, provenientes de la industria del cartón corrugado.

PULPA MECÁNICA

Estudiando la producción de pulpa mecánica en un refinador de discos, CHAVES (1981) encontró resistencias mecánicas comparables al papel "Liner 26", empleado en la fabricación de cajas de cartón corrugado, usados en la exportación de banano en Costa Rica.

Los resultados de raquis de banano desmedulado pulpeado por métodos mecánicos se obtuvieron utilizando un refinador de discos Sprout Waldron modelo 105-A, Serie 77-2008, luego de que el raquis fue desmedulado con ayuda de un batidor de cuchillas, tipo licuadora.

Con el refinador variando la abertura entre discos y el tiempo de refinado, se realizaron los estudios pertinentes.

Los datos presentados en el Cuadro 5.1 para raquis de banano desmedulado se obtuvieron con una abertura de platos de una milésima de pulgada y un tiempo de refinado de 25 min y para poró (*Erytrina sp*) y pino (*Pinus sp*), se obtuvieron con una abertura de tres milésimas y un tiempo de refinado de 25 min.

Para el pulpeo de raquis de banano desmedulado en un refinador de discos Sprout-Waldrom, abertura de platos de una milésima de pulgada por 25 min se obtuvieron los datos del Cuadro 5.1.

Cuadro 5.1
Pulpeo mecánico de raquis de banano desmedulado

Pulpa	Raquis	Pino[1]	Poró[2]
Gramaje (g/m²)	127	127	127
CFS (mL)	460	191	150
Presión de explosión (kPa)	606,7	186,2	144,8
Índice de explosión (kN/g)	4,8	1,5	1,1
Longitud de ruptura (m)	4 200	2 047	1 885
Lignina (%)	11,1	27,0	28,3
Resinas (%)	1,1	5,0	3,7
Cenizas (%)	3,8	1,4	2,6

[1] *Pinus caribaea*   [2] *Erytrina sp.*

REFERENCIA: (CHAVES, 1981)

SABORÍO (1981) encontró índices de explosión y longitudes de ruptura un 200 % superiores a los índices de pulpas mecánicas del bagazo de caña de azúcar y, de un modo general, propiedades mecánicas análogas a las de muchas pulpas de maderas usadas en la fabricación de cartones comerciales. Los resultados obtenidos en este caso, con un refindor de discos Sprout-Waldrom con abertura de platos de cuatro milésimas de pulgada, se encuentran en el Cuadro 5.2.

(ALPÍZAR, 1997) obtuvo pulpa mecánica mediante un proceso previo de limpieza con un rendimiento del 52 % en base seca. Para la limpieza utilizó un molino de martillos sin malla obteniendo un material de 3,5 cm en promedio, el cual lavó durante una hora con agua a $7,5 \cdot 10^{-5}$ m³/s y secó a 60 °C durante 15 h, antes de refinarlo en una pila holandesa de laboratorio a diferentes tiempos. Luego, formó hojas de laboratorio y las caracterizó para seis diferentes grados de refino (CSF). Con base en esos resultados, buscó la curva de mejor ajuste entre las diferentes propiedades y el grado de refino e interpoló los valores a 200 mL, 300 mL y 400 mL.

Cuadro 5.2
Pulpeo de raquis de banano desmedulado

Propiedad	Raquis desmedulado
Gramaje (g/m²)	136
CFS (mL)	583
Espesor (mm)	0,376
Índice de explosión (kN/g)	4,7
Longitud de ruptura (m)	4 500
Volumen específico (cm³/g)	2,70
Porosidad (s)	214,5

REFERENCIA: (SABORÍO, 1981)

La autora concluye que la pulpa de raquis por el método estudiado presenta buenas características para la producción de papel y que las mejores propiedades mecánicas se obtienen cerca de 300 mL de CSF. Estos resultados se presentan en el Cuadro 5.3.

PULPA HIDROTÉRMICA

Para el raquis de banano, BLANCO (1996) obtuvo pulpa para papel bajo el tratamiento denominado hidrotérmico, en el cual se someten pedacitos de raquis de banano a pulpeo durante tres horas, utilizando agua a ebullición a presión atmosférica. Los resultados de la caracterización de las pulpas hidrotérmicas para cada tiempo de refinado son presentadas en el Cuadro 5.4 y la variación de las propiedades mecánicas, densidad aparente y permeabilidad al aire en relación con el tiempo de refinado son mostradas en la Figura 5.1. Las pulpas son de color café muy claro y presentan bastante brillo, cuando son observadas a simple vista.

PULPA QUÍMICA

DARKWA (1987) informa que se podría producir pulpa a partir del pseudotallo del banano mediante el uso de los procesos a la soda o Kraft, con bajo consumo de álcali activo (9 % de NaOH sobre masa de materia prima fibrosa inicial seca). Las propiedades de resistencia mecánica encontradas en esas pulpas fueron similares a las pulpas Kraft provenientes de *Pinus* del sur de los Estados Unidos.

Cuadro 5.3

Propiedades físicas y mecánicas de pulpa mecánica en pila
refinada holandesa de raquis de banano

CFS (mL)	200	300	400
Gramaje (g/m²)	64,8	64,0	65,9
Humedad en base seca (%)	11,82	9,54	11,56
Espesor (µm)	105,2	104,0	118,9
Densidad aparente en base húmeda (kg/m³)	628	586	543
Índice de explosión (kN/g)	2,785	3,220	2,526
Longitud de ruptura (m)	5377	5800	4984
Índice de rasgado(mN•m²/g)	3,916	4,532	5,246

REFERENCIA: (ALPÍZAR, 1997)

El ICAITI (1988b), después de beneficiar las fibras del raquis de banano, mediante un tipo de proceso mecánico ("wearing blend"), preparó pulpas químicas por tres procesos: al sulfato o kraft, a la soda y organosolvente.

Casi todas las pulpas tuvieron rendimientos mayores al 50 % y menores al 67 %, no presentaron rechazos y fueron muy difíciles de refinar. Cuando se formaron hojas de laboratorio con dichas pulpas y se evaluaron, presentaron excelentes índices de tensión, de rasgado y de explosión; así como una alta resistencia a los dobles pliegues, por lo que fueron comparadas con pulpas comerciales de fibra larga y clasificadas como aptas para el blanqueo, debido a sus bajos números de Kappa (ICAITI, 1988b).

Referente a la pulpa organosolvente obtenida del pseudotallo del banano, ICAITI (1988b) afirma que es semejante a la pulpa de algodón, presentando altos valores a los dobles pliegues y rendimientos algunas veces hasta un 16 % mayores que los de pulpas a la soda y Kraft.

En el Cuadro 5.5 se presentan las condiciones de los pulpeos químicos realizados y los resultados de estos estudios se pueden observar en los Cuadros del 5.6 al 5.9; en el Cuadro 5.10 se presenta un resumen de los resultados a 45 °SR.

Cuadro 5.4
Caracterización de las pulpas hidrotérmicas del raquis de banano

Características	x	s	x	s	x	s	x	s
Condiciones de refino								
Tiempo de refino (min)	30	--	45	--	60	--	90	--
Resistencia al drenaje (°SR)	48	--	43	--	39	--	48	--
Propiedades físicas								
Gramaje (g/m^2)	60,3	--	63,1	--	61,7	--	63,9	--
Espesor (µm)	209	26	191	10	162	10	162	10
Densidad aparente (kg/m^3)	293	37	330	18	381	13	396	17
Volumen específico (cm^3/g)	3,5	0,4	3,02	0,12	2,63	0,10	2,53	0,13
Propiedades mecánicas								
Índice de tensión (N•m/g)	45,6	7,2	51,9	5,3	69,9	8,2	67,0	5,8
Longitud de ruptura (m)	5011	791	5704	582	7682	901	7363	637
Elongación (%)	1,3	0,3	1,8	0,3	2,6	0,4	2,8	0,3
Índice de explosión (kPa•m^2/g)	3,1	0,8	3,9	0,3	4,2	0,3	4,1	0,2
Fuerza de rasgado 5 hojas (gf)	26,6	3,7	24,2	3,6	17,4	0,9	14	1,1
Índice de rasgado (mN•m^2/g)	13	0,4	12	1,8	8,9	0,5	6,7	0,6
Propiedades superficiales								
Permeabilidad al aire, Gurley								
(s/100 ml)	47	13,1	130	27	179	28	266	24,9
(µm•Pa/s)	2,92	0,9	1,02	0,2	0,73	0,1	0,48	0,05
Contenidos químicos								
Sequedad (%)	91,14	0,05	91,44	0,05	91,41	0,05	91,94	0,05
Cenizas (% base seca)	1,53		1,63		1,71		1,75	

x: valor promedio   s: desviación estándar

REFERENCIA: (BLANCO, 1996)

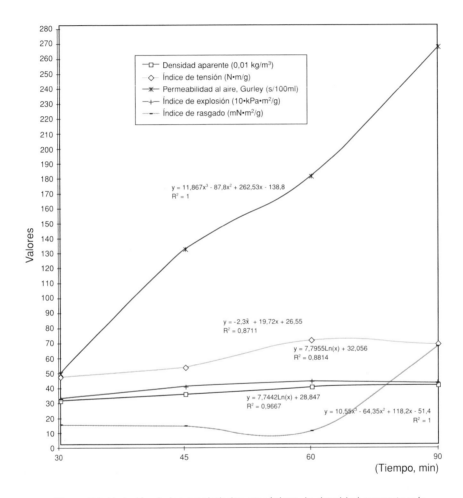

Figura 5.1. Variación de las propiedades mecánicas, la densidad aparente y la permeabilidad al aire con el tiempo de refinado, para la pulpa hidrotérmica de raquis de banano.

REFERENCIA: (BLANCO, 1996)

En cuanto a los procesos estudiados, el ICAITI (1988b) concluye que los mejores resultados fueron obtenidos por el proceso organosolvente, en algunos casos, mejores que los obtenidos con pulpas Kraft. Estas pulpas fueron también las más fáciles de refinar y presentaron grados de brillantez tan altos como las pulpas comerciales semiblanqueadas. Por este proceso, LÓPEZ (1981), utilizando raquis de banano beneficiado mecánicamente, encontró rendimientos entre el 60 % y el 95 %, recomendando el uso de la pulpa organosolvente en papeles que requieren de alta resistencia mecánica, pero donde el color no es importante, estos resultados se encuentran en el Cuadro 5.11.

De los estudios realizados por el ICAITI (1988b) se concluye que si se presume un rendimiento de la pulpa del 60 %, se necesitarían 36,3 ton de materia verde para producir una tonelada de pulpa, esto es, seiscientos cincuenta plantas o 0,34 ha de plantación con una densidad de mil ochocientas plantas por hectárea.

VÍSPERAS *et al.* (1984) comentan que el uso de residuos agrícolas en procesos de pulpeo con alcohol etílico, es una alternativa atractiva para fábricas de pequeña escala de producción y que tiene las siguientes ventajas: alto rendimiento,

Cuadro 5.5
Condiciones de pulpeos químicos de raquis de banano

Proceso	Kraft	Soda	Organosolvente
Temperatura (°C)	165	165	180
Tiempo de elevación (min)	60	60	120
Tiempo de cocción (min)	90	90	60
Razón sólido-líquido	1:7	1:7	1:7
Hidróxido de sodio (%)	--	14	--
Alcali activo (% Na_2O)	16	--	--
Sulfidez (% Na_2O)	25	--	3
Alcohol etílico (%)	--	--	60

REFERENCIA: (ICAITI, 1988b)

Cuadro 5.6

Resultados del pulpeo del raquis de banano beneficiado bajo diferentes procesos

Proceso	PFI	Grado de refinado	Gramaje	Espesor	Volumen específico	Índice de tensión	Índice de rasgado	Índice de explosión
	(rev)	(°SR)	(g/m²)	(µm)	(cm³/g)	(N•m/g)	(mN•m²/g)	(kPa•m²/g)
Kraft	9 000	42	60,94	79	1,29	82,82	7,83	7,35
	15 000	58	58,99	74	1,25	88,66	7,43	8,67
Soda	14 000	60	60,58	76	1,25	76,98	4,55	7,29
	26 000	69	60,20	75	1,24	76,45	4,62	7,76
Organo-solvente	10 000	58	56,10	98	1,75	77,64	7,52	7,74
	13 000	65	57,88	97	1,67	79,51	7,17	7,98

REFERENCIA: (ICAITI, 1988b)

Cuadro 5.7

Resultados del pulpeo del raquis de banano beneficiado mecánicamente
bajo diferentes procesos

Proceso	PFI	Grado de refinado	Gramaje	Espesor	Volumen especifico	Índice de tensión	Índice de rasgado	Índice de explosión
	(rev)	(°SR)	(g/m²)	(µm)	(cm³/g)	(N•m/g)	(mN•m²/g)	(kPa•m²/g)
Kraft	9 000	54	59,53	80	1,34	82,12	7,30	9,43
	12 250	63	60,02	77	1,28	98,69	6,43	10,38
Soda	10 000	58	60,13	90	1,49	92,85	7,75	10,08
	13 000	65	60,82	89	1,47	90,19	7,63	10,11
Organo-solvente	13 500	57	60,12	78	1,22	97,11	6,96	9,70
	15 500	64	62,10	76	1,22	107,70	6,42	10,58

REFERENCIA: (ICAITI, 1988b)

Cuadro 5.8

Resultados del pulpeo del pseudotallo del banano beneficiado mecánicamente
bajo diferentes procesos

Proceso	PFI	Grado de refinado	Gramaje	Espesor	Volumen específico	Índice de tensión	Índice de rasgado	Índice de explosión
	(rev)	(°SR)	(g/m²)	(µm)	(cm³/g)	(N·m/g)	(mN·m²/g)	(kPa·m²/g)
Kraft	14 500	40	60,70	96	1,57	94,46	24,93	9,93
	24 000	59	60,27	93	1,55	101,29	20,23	10,87
Soda	15 000	47,5	59,55	89,92	1,51	97,60	18,61	11,17
	20 000	64,0	59,59	88,90	1,49	85,91	17,60	11,45
Organo-solvente	7 000	44	57,94	91,44	1,58	95,49	19,30	11,28
	13 000	58	59,55	87,38	1,47	103,20	18,66	11,10

REFERENCIA: (ICAITI, 1988b)

Cuadro 5.9

Resultados del pulpeo de los nervios centrales de las hojas, mecánicamente beneficiadas bajo diferentes procesos

Proceso	PFI	Grado de refinado	Gramaje	Espesor	Volumen específico	Índice de tensión	Índice de rasgado	Índice de explosión
	(rev)	(°SR)	(g/m²)	(µm)	(cm³/g)	(N·m/g)	(mN·m²/g)	(kPa·m²/g)
Kraft	6 500	45	58,89	83,82	1,42	104,69	9,46	9,90
	10 000	61	59,08	82,80	1,40	97,82	9,52	10,55
Soda	6 500	45	58,89	83,82	1,42	104,69	9,46	9,90
	10 000	61	59,08	82,80	1,40	97,82	9,52	10,55
Organo-solvente	4 000	46	59,16	87.38	1,48	109,08	8,84	10,45
	6 750	62	59,85	84,58	1,41	87,39	8,19	10,21

REFERENCIA: (ICAITI, 1988b)

Cuadro 5.10

Características a 45 °SR de las pulpas químicas del raquis de banano beneficiado

Proceso	Kraft	Soda	Organosolvente
Gramaje (g/m²)	60	62	58,5
Espesor (μm)	81	90	78
Volumen específico (m³/kg) •10³	1,35	1,48	1,26
Presión de explosión (kN/g)	9,0	9,23	8,6
Fuerza de tensión (N•m/g)	79,5	96,75	84,8
PFI (rev)	4 750	4 250	5 500
Fuerza de rasgado (mN•m²/g)	7,43	8,58	7,88
Longitud de ruptura (m)	8 100	9 678	8 550

REFERENCIA: (ICAITI, 1988b)

Cuadro 5.11

Características a 45 °SR de las pulpas organosolventes del raquis de banano beneficiado

Proceso	Kraft	Soda	Organosolvente
Temperatura (°C)	140,6	159,8	179
Etanol (%)	50	50	30
Tiempo de cocción (min)	20	20	60
Rendimiento (%)	95,3	87,7	73,4
CSF (mL)	510	336	132
Volumen específico (m³/kg) •10³	2,84	2,50	2,45
Gramaje (g/m²)	60	60	60
Fuerza de explosión (kN/g)	4,8	5,7	5,3
Longitud de ruptura (m)	5 494	5 326	7 014

REFERENCIA: (ICAITI, 1988b)

buena recuperación de la lignina y de los carbohidratos presentes en el licor negro, reducción de la contaminación y de compuestos malolientes, además de que pueden ser implantados a un menor costo.

Con los resultados obtenidos, el ICAITI (1988b) efectuó una evaluación económica preliminar de la pulpa organosolvente de las fibras del banano, para la fabricación de productos de alto valor agregado, tales como: papel moneda, certificados, papel pergamino y papel vegetal. Determinó también la viabilidad económica para tres tipos de fábricas con capacidades de (5, 10 y 15) t/d, con retornos de la inversión del 10,39 %; del 18,61 % y del 34,72 %, respectivamente.

Durante el proceso de pulpeo de raquis de banano por el proceso organosolvente, encontraron que al aumentar la temperatura aumentan la deslignificación, el factor de explosión y la fuerza de tensión, y disminuye el rendimiento. Este proceso da altos rendimientos y fácil recuperación de reactivos, mayor índice de explosión, mayor longitud de ruptura y volúmenes específicos menores que las pulpas mecánicas del mismo material.

PULPA A LA SODA FRÍA

Otra investigación relata que en Filipinas, pulpas a la soda fría obtenidas a partir del pseudotallo del banano, pueden ser consideradas como potenciales suplementos de las pulpas de fibra largas, importadas, en la producción de papel periódico (ESCOLANO et al., 1979). El papel periódico producido de la mezcla de pulpas a la soda no blanqueada (un 80 % a partir de bagazo de caña de azúcar y un 20 % a partir del pseudotallo de banano), presentó propiedades de resistencia mecánica aceptables; sin embargo presentó bajos valores de brillo y de opacidad, cuando fue comparado con papel periódico patrón. Entretanto, el papel periódico formado de la mezcla de pulpas a la soda no blanqueada (un 80 % de paja de arroz y un 20 % pseudotallo del banano), satisface los requisitos patrones, tanto de resistencia mecánica como de propiedades ópticas.

PULPA TERMOQUÍMICA A LA SODA

Para el raquis de banano, BLANCO (1996) obtuvo pulpa para papel bajo el tratamiento termoquímico con tiempos de cocimiento de 3 h y temperaturas de ebullición a presión atmosférica utilizando hidróxido de sodio o carbonato de sodio. De los estudios realizados, la autora escogió el tratamiento con temperatura y con NaOH al 5 % con relación al proceso con $CaCO_3$ al 10 %, por ser un reactivo más común en la producción de celulosa para papel y de pulpas para disolución, y denominó al tratamiento como termoquímico a la soda.

Los resultados de la caracterización de las pulpas termoquímicas a la soda para cada tiempo de refino, se presentan en el Cuadro 5.12, y la variación de las propiedades mecánicas, densidad aparente y permeabilidad al aire con relación al tiempo de refinado son mostradas en la Figura 5.2. Las pulpas son de color café, pero más oscuras y con menor brillo que las pulpas hidrotérmicas, cuando son observadas a simple vista.

La autora concluye que los tratamientos hidrotérmico y termoquímico a la soda, por ser más simples que las tecnologías conocidas a nivel mundial para producción de celulosa (Kraft, a la soda, monosulfito alcalino, etc) pueden ser aplicadas en pequeña escala, produciendo buenos grados de beneficiado ("fibras" más limpias, menos "médula" y más "solubles"), además de precisar de equipos más baratos.

Comparando los resultados de las propiedades mecánicas de las pulpas hidrotérmicas con las de las pulpas termoquímicas a la soda, obtuvo que los índices de tensión y de explosión son mayores para las pulpas termoquímicas a la soda que para las pulpas hidrotérmicas para todos los tiempos de refinado y que presentan un máximo a los 60 min de refinado. Por otro lado, los índices de rasgado para las pulpas termoquímicas a la soda son menores; parece ser que la introducción de soda al proceso puede hinchar las paredes de las fibras, las cuales son muy finas, llegando tal vez a explotarlas y disminuyendo, de este modo la resistencia intrínseca de la fibra, siendo que para 60 min de refinado, la pasta hidrotérmica presenta un índice de rasgado aproximadamente del 60 % mayor que para la pulpa termoquímica a la soda. En resumen, las pulpas obtenidas son de color café claro, brillantes a simple vista, de alta resistencia mecánica a la tensión y a la explosión, sin embargo de baja resistencia al rasgado.

Por otro lado, la introducción de NaOH al 5 % produce los siguientes efectos en las propiedades mecánicas de la pulpa termoquímica con relación a la pulpa hidrotérmica: un 22,5 % de aumento en la longitud de ruptura, 131,1 % de aumento en el índice de explosión y una disminución de un 40,5 % en el índice de rasgado.

Para ambas pulpas, la densidad aparente quedó prácticamente constante a los diferentes tiempos de refinado, siendo siempre mayor para las pulpas termoquímicas a la soda (408-469) kg/m³ que para las hidrotérmicas (293-396) kg/m³.

La permeabilidad al aire aumenta con el tiempo de refinado para ambas pulpas, siendo mayor para las termoquímicas a la soda.

PULPAS PARA DISOLUCIÓN

ELAZEGUI *et al.* (1982) y FRANCIA *et al.* (1984) comentan que los residuos agrícolas, por ser materiales baratos y con bajos contenidos de lignina, comparados con la madera, son elegidos como posibles fuentes de materia prima para la producción de pulpas para disolución, ya que no requieren de alta resistencia mecánica, siendo usada solamente la celulosa en la forma ya purificada.

Cabe resaltar que los autores definen las pulpas para disolución como materias primas intermediarias usadas en la producción de productos textiles, tales como: rayón, celofán, lacas, películas de celuloide, plásticos, etc. Además, informan que el abacá y el banano (*Musa balbisiana*) presentaron resultados promisorios para la producción de pulpas para disolución, al ser sometidos a un proceso de prehidrólisis, seguido de un proceso sulfito (utilizando un 12,5 % de Na_2SO_3 y un 3 % de NaOH), obteniendo pulpas con altos niveles de α–celulosa (94,2 %) y bajo contenido de pentosanas (2,89 %).

FRANCIA *et al.* (1984) estudiaron diecisiete tipos de fibras comerciales de abacá mostrando que, gracias a los bajos contenidos de sílice y de cenizas, no hubo deterioro en el hilado del rayón. Con una prehidrólisis con vapor de agua a 170 °C, el abacá presentó altos rendimientos debido a su alto contenido de holocelulosa. Los autores afirman que el vapor de agua es un agente prehidrolisante caro, pero rápido y eficiente, que produce una mínima degradación de la celulosa y elimina la mayor parte de las hemicelulosas, la lignina y los extractos presentes.

Cuadro 5.12

Caracterización de las pulpas termoquímicas a la soda del raquis de banano

Características	x	s	x	s	x	s	x	s
Condiciones de refino								
Tiempo de refino (min)	30	--	45	--	60	--	90	--
Resistencia al drenaje (°SR)	32	--	41	--	35	--	43	--
Propiedades físicas								
Gramaje (g/m^2)	62,3	--	61,4	--	59,7	--	61,7	--
Espesor (μm)	154	15	143	15	136	6	132	3
Densidad aparente (kg/m^3)	408	37	435	43	440	17	469	12
Volumen específico (cm^3/g)	2,47	0,23	2,32	0,25	2,28	0,10	2,13	0,05
Propiedades mecánicas								
Índice de tensión (N•m/g)	69,3	8,5	76,7	5,3	85,6	8,8	78,9	8,0
Longitud de ruptura (m)	7 616	934	8 429	582	9 407	967	8 671	879
Elongación (%)	2,3	0,3	2,3	0,3	2,6	0,4	2,5	0,3
Índice de explosión (kPa•m^2/g)	5,1	0,4	5,4	0,4	5,7	0,3	5,9	0,5
Fuerza de rasgado 5 hojas (gf)	14	1,2	11	0,8	10	0,4	11	0,8
Índice de rasgado (mN•m^2/g)	7,1	0,7	5,9	0,3	5,3	0,0	5,6	0,4
Propiedades superficiales								
Permeabilidad al aire, Gurley								
(s/100 ml)	166	24	235	235	300	16	403	22
(μm•Pa/s)	0,79	0,1	0,55	0,08	0,43	0	0,32	0,02
Contenidos químicos								
Sequedad (%)	92,10	0,05	92,14	0,05	91,36	0,05	92,28	0,05
Cenizas (% base seca)	1,67		1,66		1,46		1,44	

x: valor promedio   s: desviación estándar

REFERENCIA: (BLANCO, 1996)

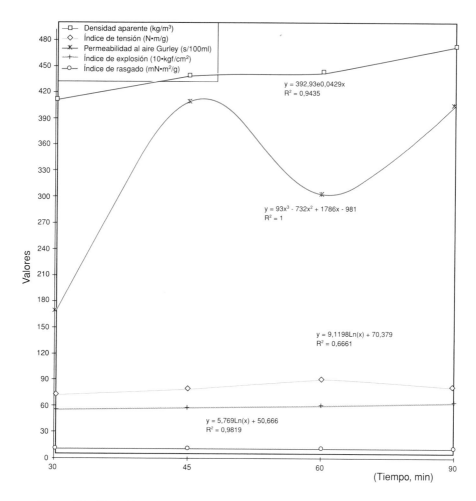

Figura 5.2. Variación de las propiedades mecánicas, la densidad aparente y la permeabilidad al aire con el tiempo de refinado, para la pulpa termoquímica a la soda de raquis de banano.

REFERENCIA: (BLANCO, 1996)

ENCOLADO

ESPINOZA (1986) realizó un estudio de encolado, tanto superficial como interno, en las pulpas obtenidas con fibra del raquis de banano beneficiadas. El encolado superficial fue realizado a 30 °C, aplicándole a la pulpa 10 ppm de $Al_2(SO_4)$, el encolado interno de la pulpa sin blanqueamiento fue realizado a 30 °C, 5,5 de pH y con aplicación de 60 ppm de almidón y para la pulpa blanqueada, las condiciones fueron 30 °C, 4,0 de pH y 60 ppm de almidón. Los resultados se presentan en el Cuadro 5.13.

ESPINOZA (1986), concluye que el encolado de las fibras del raquis de banano es efectivo bajo los procesos estudiados y que mejora las características del índice de explosión, la permeabilidad, el gramaje, el espesor y el brillo; no presentando diferencia la brillantez ni la opacidad. Además, existe la posibilidad de mejorar el encolado superficial realizando primero un encolado interno. La autora concluye que los papeles encolados obtenidos pueden ser utilizados como material para embalaje, cartones, sacos sin blanquear o ser empleados en la fabricación de papel vegetal y mantequilla.

Cuadro 5.13
Encolado de pulpa mecánica de raquis de banano beneficiado

	ENCOLADO			
	Ninguno	Externo[a]	Interno	
			Raquis sin blanquear[b]	Raquis sin blanquear[c]
Gramaje (g/m²)	58	77	63	60
Espesor (mm)	0,150	0,200	0,145	0,135
Presión de explosión (kPa)	70	118	83	86
Fuerza de explosión (kN/g)	1,2	1,5	1,3	1,4
Porosidad (%)	20,9	--	63,4	47,7
Opacidad (%)	99	99	99	98
Blancura (%)	26	15	26	35
Brillo (%)	24	20	33	30
Absorción de agua (g/m²)	--	90	25	23

[a] 10 ppm $Al_2(SO_4)_3$, 30 °C [b] 60 ppm de almidón, 30 °C, pH=5,5 [c] 60 ppm de almidón, 30 °C, pH=4,0

REFERENCIA: (ESPINOZA, 1986)

MEZCLA DE PULPAS

Con respecto a la mezcla de pulpas, según la opinión de OLIVEIRA (1979), la industria papelera intensifica el uso de mezclas de pulpas de celulosa en la fabricación de casi todos los tipos de papel, principalmente la mezcla de fibras largas y cortas. Algunos de los fines de la mezcla de dos o más tipos de pulpas de celulosa son: mejorar la calidad de una celulosa inferior, aprovechar los excedentes de materias primas fibrosas o bajar el costo del producto final (FOELKEL & BARRICHELO, 1975).

Según ATCHISON (1988) seleccionando apropiadamente la mezcla de fibras anuales y el método de pulpeo, es posible producir cualquier tipo de papel y cartón sin la adición de pulpas obtenidas a partir de madera; sin embargo, en muchos casos, se espera que las fibras anuales puedan ser utilizadas en al menos una pequeña proporción.

En la literatura disponible e investigada, se encontraron pocas referencias de trabajos donde se presenten la preparación o las características de mezclas de pulpas de fibras de Musa con otros tipos de pulpas.

ESCOLANO (1981) relata que mezclas de pulpas de abacá con pulpas provenientes de bagazo de caña de azúcar o de maderas latifoliadas, producen pulpas con altas propiedades de resistencia a la tensión, explosión y rasgado, prediciendo un futuro brillante para las pulpas de abacá en la producción de papeles de alta calidad por el proceso FORPRIDECOM.

EVALUACIÓN DE LAS PULPAS PARA FABRICAR LAS MEZCLAS

BLANCO (1996) y ALPÍZAR (1997) realizaron estudios de mezclas de pulpas de raquis de banano con residuos de la industria del cartón corrugado. Se pensó en utilizar la pulpa del raquis de banano con características de alta calidad y semejante al liner, para verificar su efecto sobre los residuos y pensando en la posibilidad de fabricar papeles para las cajas en las cuales se transporta el mismo banano. Fueron preparadas diez mezclas diferentes con pulpas de raquis de banano sin blanquear de dos tipos: RFM (refinado físicomecánico) y TQS (termoquímico a la soda) con tres tipos de fibras secundarias: DKL, DBRA y DBRB.

Las fibras secundarias utilizadas se describen a continuación:

DKL: proveniente de los desechos de refilado y troquelado, del proceso de la cartonera ENVACO, por lo tanto, incluye papel liner y papel medium. ENVACO se localiza en el cantón central de Limón, provincia de Costa Rica;

DBRA: fibras secundarias obtenidas directamente de la cabeza de entrada de la máquina formadora de papel, con un grado de refinado de 20,5 °SR y una composición del 20 % de papel de reciclo seleccionado y 80 % de reciclado común. El material fue obtenido de la empresa CIBRAPEL, localizada en Rio de Janeiro, Brasil.

DBRB : fibras secundarias obtenidas directamente de la cabeza de entrada de la máquina formadora de papel, con un grado de refino de 30 °SR y una composición de un 20 % de papel reciclado seleccionado, un 10 % de tubo Kraft y bolsas de supermercado y un 70 % de reciclado. El material fue obtenido de la empresa CIBRAPEL, localizada en Rio de Janeiro, Brasil.

Las composiciones de las mezclas se muestran en el Cuadro 5.14.

Cuadro 5.14
Composiciones de las mezclas de pulpas de raquis de banano
y residuos de la industria del cartón corrugado

Mezcla	Raquis de banano		Fibra secundaria	
	Tipo	Cantidad (%)	Tipo	Cantidad (%)
M1	RFM	40	DKL	60
M2	RFM	60	DKL	40
M3	RFM	80	DKL	20
M4	RFM	50	DKL	50
M5	TQS	10	DBRA	90
M6	TQS	20	DBRA	80
M7	TQS	30	DBRA	70
M8	TQS	10	DBRB	90
M9	TQS	20	DBRB	80
M10	TQS	30	DBRB	70

REFERENCIA: (BLANCO, 1996) y (ALPÍZAR, 1997)

Cuadro 5.15
Caracterización de las pulpas de raquis de banano usadas en las mezclas

Código de la pulpa	RFM 60		RFM 127		TQS 60		RTQS 127	
	x	s	x	s	x	s	x	s
Condiciones de refinado								
Tiempo de refino (min)		--			60	--	60	--
Resistencia al drenaje (°SR)	341		273	2,8	35	--	48	--
Propiedades físicas								
Gramaje (g/m^2)	65,3	0,2	144,7	0,3	59,7	--	126,7	--
Espesor (µm)	110	3	215	3	136	6	218	5
Densidad aparente (kg/m^3)	591	20	676	8	440	17	581	14
Volumen específico (cm^3/g)	1,69	0,05	1,48	0,12	2,28	0,10	1,72	0,04
Permeabilidad al aire (s/100 ml)	--	--	--	--	300	16	--	--
Permeabilidad al aire (µm •Pa/s)	--	--	--	--	0,43	0	--	--
Propiedades mecánicas								
Índice de tensión (N•m/g)	54,3	3,0	53,5	2,1	85,6	8,8	92,2	9,1
Longitud de ruptura (m)	5560	150	5461	220	9407	967	10133	1000
Alargamiento (%)	--	--	--	--	2,6	0,4	2,9	0,2
Índice de rasgado (mN•m^2/g)	4,21	0,47	7,57	0,12	5,3	0	5,8	0,7
Índice de explosión (kPa•m^2/g)	3,04	0,18	3,22	0,04	5,7	0,3	5,2	0,6
Contenidos químicos								
Inorgánicos (% base seca)	--	--	--	--	1,46	--	2,32	0
Humedad (% base seca)	9,84	--	14,27	0,25	8,64	0,05	8,68	0,05

x: valor promedio   s: desviación estándar

REFERENCIA: (BLANCO, 1996) y (ALPÍZAR, 1997)

Cuadro 5.16
Caracterización de las pulpas secundarias usadas en las mezclas

Código de las pulpas secundarias	DKL		DBRA		DBRB	
	x	s	x	s	x	s
Condiciones de refino						
Resistencia al drenaje (°SRc)	33,3	3,5	20,5	--	30	--
Propiedades físicas						
Gramaje (g/m²)	60,7	0,25	128,2	--	126,7	--
Espesor (μm)	108	1	278	11	263	14
Densidad aparente (kg/m³)	563	16	461	17	484	24
Volumen específico (cm³/g)	1,78		2,17	0,08	2,07	0,11
Propiedades mecánicas						
Índice de tensión (N·m/g)	44,9	1,0	31,4	2,3	44,7	3,2
Longitud de ruptura (m)	4584	173	3451	253	4913	352
Alargamiento (%)	--		2,4	0,4	2,4	0,3
Índice de rasgado (mN·m²/g)	7,24	0,43	12,2	0,5	11,1	0,4
Índice de explosión (kPa·m²/g)	2,69	0,2	1,8	0,1	2,6	0,2
Contenidos químicos						
Inorgánicos (% base seca)	--		2,82	0,02	2,66	0,01
Humedad (% base seca)	8,92	0,82	7,87	0,05	7,87	0,05

x: valor promedio   s: desviación estándar

REFERENCIA: (BLANCO,1996) y (ALPÍZAR, 1997)

Cuadro 5.17
Caracterización de las mezclas entre RFM y DKL

Código de la mezcla	M1		M2		M3		M4	
	x	s	x	s	x	s	x	s
Condiciones de refinado								
Resistencia al drenaje (°SRc)	304	0,71	300	3,5	300	2,8	268	4,9
Propiedades físicas								
Gramaje (g/m^2)	64,6	0,8	63,9	5,2	65,3	0,16	145,0	1
Espesor (μm)	105	2	106	11	110	3	221	1
Densidad aparente (kg/m^3)	616	19	600	15	591	19	656	6
Volumen específico (cm^3/g)	1,62	0,05	1,67	0,07	1,75	0,05	1,52	0,17
Propiedades mecánicas								
Índice de tensión (N•m/g)	52,82	2,71	53,02	1,13	54,34	3,0	45,01	3,73
Longitud de ruptura (m)	5396	276	5416	115	5560		4599	381
Alargamiento (%)	--	--	--	--	--	--	--	--
Índice de rasgado (mN•m^2/g)	5,74	0,51	5,42	0,36	4,21	0,47	9,73	0,07
Índice de explosión (kPa•m^2/g)	2,93	0,13	2,98	0,13	3,04	0,18	2,96	0,07
Contenidos químicos								
Humedad (% base seca)	9,42	0,55	9,38	0,14	10,02	0,57	13,04	0,17

x: valor promedio   s: desviación estándar

REFERENCIA: (BLANCO, 1996) y (ALPÍZAR, 1997)

Cuadro 5.18

Caracterización de las mezclas entre TQS127 y DBRA 127

Código de la mezcla	M5		M6		M7	
	x	s	x	s	x	s
Condiciones de refinado						
Resistencia al drenaje (°SRc)	28	--	29	--	27	--
Propiedades físicas						
Gramaje (g/m^2)	127,4	--	124,4	--	128,3	--
Espesor (µm)	268	8	260	14	262	23
Densidad aparente (kg/m^3)	476	15	480	23	494	37
Volumen específico (cm^3/g)	2,10	0,06	2,09	0,11	2,04	0,18
Propiedades mecánicas						
Índice de tensión (N•m/g)	43,1	5,1	46,2	6,8	52,4	5,9
Longitud de ruptura (m)	4737	560	5077	747	5759	648
Alargamiento (%)	2,3	0,3	2,6	0,4	2,8	0,3
Índice de rasgado (mN•m^2/g)	12,1	0,4	11,4	0,5	11,2	0,6
Índice de explosión (kPa•m^2/g)	2,4	0,2	2,8	0,2	3,8	0,2
Contenidos químicos						
Inorgánicos (% base seca)	2,66	0,02	2,61	0,007	2,59	0,03
Humedad (% base seca)	7,62	0,05	7,74	0,05	8,01	0,05

x: valor promedio   s: desviación estándar

REFERENCIA: (BLANCO, 1996) y (ALPÍZAR, 1997)

Cuadro 5.19

Caracterización de las mezclas entre TQS127 y DBRB127

Código de la mezcla	M8		M9		M10	
	x	s	x	s	x	s
Condiciones de refinado						
Resistencia al drenaje (°SRc)	34	--	37	--	39	--
Propiedades físicas						
Gramaje (g/m^2)	129,4	--	127,4	--	127,6	--
Espesor (µm)	272	23	254	10	247	8
Densidad aparente (kg/m^3)	478	35	503	19	517	17
Volumen específico (cm^3/g)	2,10	0,18	1,99	0,08	1,94	0,06
Propiedades mecánicas						
Índice de tensión (N•m/g)	46,7	4,4	53,4	3,2	63,0	6,0
Longitud de ruptura (m)	4759	448	5441	352	6924	659
Alargamiento (%)	3,0	0,2	2,6	0,4	2,9	0,3
Índice de rasgado (mN•m^2/g)	12	0,4	11	0,5	11	0,7
Índice de explosión (kPa•m^2/g)	3,2	0,2	3,7	0,2	4,1	0,3
Contenidos químicos						
Inorgánicos (% base seca)	2,67	0,03	2,52	0,02	2,56	0,04
Humedad (% base seca)	7,97	0,05	7,51	0,05	7,65	0,05

x: valor promedio   s: desviación estándar

REFERENCIA: (BLANCO, 1996) y (ALPÍZAR, 1997)

Los resultados promedio de la caracterización de las pulpas RFM y TQS, a dos gramajes 60 g/m² y 127 g/m², se presentan en el Cuadro 5.15 y los correspondientes a las fibras secundarias se encuentran en el Cuadro 5.16.

Las autoras encontraron que las fibras secundarias DKL y DBRA constituyen pulpas de buena calidad y de propiedades semejantes entre sí, mientras que la pulpa DBRB posee menores propiedades mecánicas que las anteriores.

Los resultados promedios de la caracterización de las hojas formadas de las diez mezclas, junto con sus desviaciones estándares se muestran en los Cuadros del 5.17 al 5.19.

La variación de las propiedades mecánicas y la densidad aparente de las mezclas con la proporción de pulpa de raquis de banano, se presentan en las Figuras 5.3, 5.4 y 5.5.

Analizando los resultados obtenidos, BLANCO (1996) y (ALPÍZAR (1997) encontraron muy buenos modelos matemáticos que describen el comportamiento de las propiedades mecánicas y la densidad aparente en función del porcentaje de pulpa de raquis de banano.

Se utilizó la siguiente nomenclatura:

IT = índice de tensión, N•m/g
IE = índice de explosión, kPa•m²/g
IR = índice de rasgado, mN•m²/g
DA = densidad aparente, kg/m³
x = pulpa raquis de banano, % base seca
R2 = coeficiente de correlación, %

Los resultados son los siguientes :

Mezclas RFM y DKL a 60 g/m² (Figura 5.3)

$IT = -0,0014\ x^2 + 0,2286\ x + 45,209$ $\qquad R^2 = 0,9713$

$IE = -0,00004\ x^2 + 0,007\ x + 2,6969$ $\qquad R^2 = 0,9879$

$IR = -0,00005\ x^2 - 0,0271\ x + 7,0029$ $\qquad R^2 = 0,9615$

$DA = -0,0006\ x^3 - 0,107\ x^2 + 4,6781x + 562,71$ $\quad R^2 = 0,9664$

Mezclas TQS y DBRA a 127 g/m^2 (Figura 5.4)

IT	=	$-0,0012 x^2 + 0,7084 x + 33,079$	$R^2 = 0,9938$
IE	=	$-0,0004 x^2 + 0,0746 x + 1,718$	$R^2 = 0,9844$
IR	=	$-0,0004 x^2 - 0,0254 x + 12,243$	$R^2 = 0,9979$
DA	=	$0,0215 x^2 + 9,6986 x + 4624,6$	$R^2 = 0,9975$

Mezclas TQS y DBRB 127 g/m^2 (Figura 5.5)

IT	=	$-0,0015 x^2 + 0,6399 x + 42,83$	$R^2 = 0,9886$
IE	=	$-0,0003 x^2 + 0,0606 x + 2,6133$	$R^2 = 0,9998$
IR	=	$-0,0006 x^2 + 0,0076 x + 11,386$	$R^2 = 0,9787$
DA	=	$-0,0022 x^2 + 1,2546 x + 477,53$	$R^2 = 0,9709$

Con respecto a las mezclas de la M1 a la M4, las autoras encontraron que la introducción de pulpa RFM de raquis de banano no causa una mejora significativa en las propiedades mecánicas del DKL, siendo evidente la similitud de las propiedades entre ambos. Esto sugiere la posibilidad de aprovechar el excedente fibroso del raquis para fabricar pulpa RFM, dándole así un manejo sencillo al residuo de la actividad bananera, aumentando la disponibilidad de material, sobre todo si se piensa en reciclar ambos residuos en las zonas bananeras, donde la actividad generalmente está aunada a la producción de cajas de cartón corrugado para la exportación del banano.

Con respecto a las mezclas de la M5 a la M10, la introducción de pulpa TQS de raquis de banano tuvo un efecto positivo en las propiedades de los dos tipos de fibra secundaria estudiados, DBRA y DBRB, por lo que la pulpa TQS puede usarse como una pulpa de refuerzo de las propiedades mecánicas de explosión y tensión.

A partir de estos estudios BLANCO (1996) y ALPÍZAR (1997) concluyen que es técnicamente viable la producción de pulpa celulósica para papel a partir de raquis de banano beneficiado por los tratamientos físico y termoquímico a la soda. Las pulpas obtenidas son de color marrón, brillantes a simple vista, de alta resistencia mecánica a la tensión y explosión y de resistencia mediana al rasgado. Las pulpas obtenidas por el beneficiado físico tienden a retener mucha más agua que las provenientes de las pulpas comerciales del DKL, aumentando el tiempo de drenado en la máquina formadora de papel, sin embargo, no se afecta su capacidad de desarrollar fuertes uniones entre las fibras. A pesar de la similitud de las propiedades de las pulpas RFM y DKL, las mezclas que poseen menor cantidad de DKL presentan valores más altos en sus propiedades mecánicas.

La pulpa termoquímica a la soda de raquis de banano posee mayores propiedades de resistencia mecánica que las pulpas secundarias DBRA y DBRB y puede ser usada como refuerzo de éstas o de otro tipo de pulpas sin blanquear. Los efectos positivos fueron el aumento de los índices de tensión y de explosión. No se presentó un efecto significativo sobre la densidad aparente ni sobre el índice de rasgado.

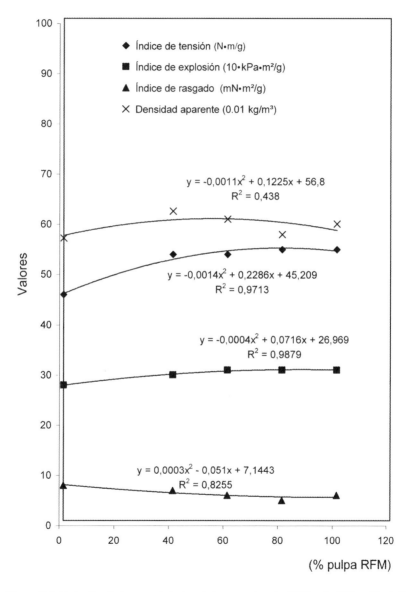

Figura 5.3. Variación de las propiedades de las mezclas de RFM y de DKL a 60 g/m².

REFERENCIA: (BLANCO, 1996) y (ALPÍZAR, 1997)

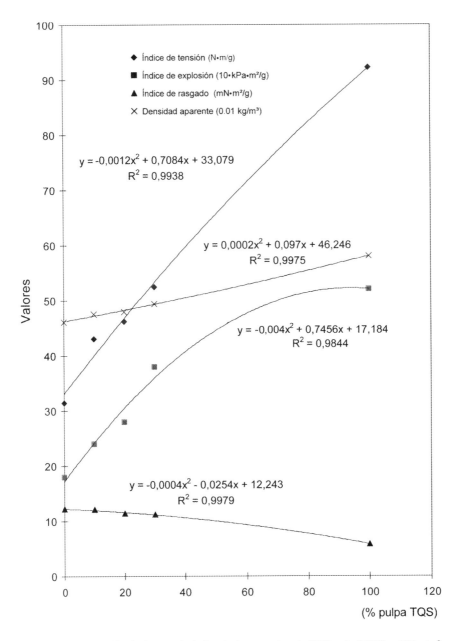

Figura 5.4. Variación de las propiedades de las mezclas de TQS y de DBRA a 127 g/m^2.

REFERENCIA: (BLANCO, 1996)

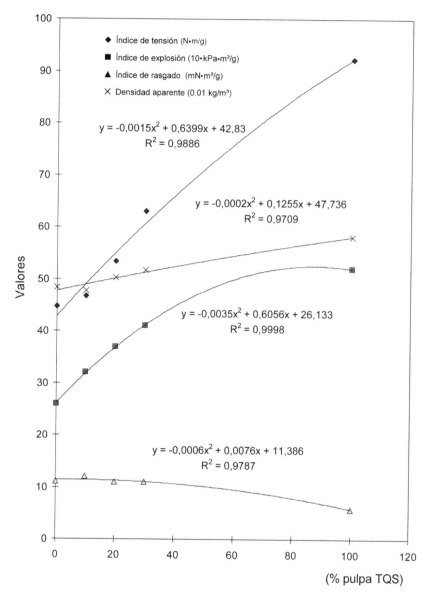

Figura 5.5. Variación de las mezclas de TQS y de DBRB a 127 g/m².

REFERENCIA: (BLANCO, 1996)

CONCLUSIONES

Con base en los resultados obtenidos en las diferentes investigaciones realizadas desde 1976 en la Escuela de Ingeniería Química de la Universidad de Costa Rica, el proyecto de pulpas químicas del ICAITII; y el proyecto de posgraduación de (BLANCO, 1996) ejecutado en la Universidade de São Paulo, Brasil, se concluye que es técnicamente viable la obtención de pulpa para papel a partir del raquis de banano (*Musa Giant Cavendishii*), residuo orgánico de la actividad bananera. Queda demostrada la viabilidad de la obtención de pulpas: mecánicas; químicas (al sulfato, termoquímica a la soda, organosolvente, a la soda); hidrotérmica; termomecánica entre otras, encontrándose generalmente altas propiedades de resistencia mecánica en cuanto a resistencias a la tensión y a la explosión, y baja resistencia al rasgado. Se demostró que la pulpa de raquis permite el encolado tanto interno como externo a base de almidón y que las propiedades presentan una mejoría. Han sido muy pocos los estudios de blanqueado de la pulpa de raquis, los cuales no han sido referenciados, pero que han demostrado que es un material difícil de blanquear por los métodos tradicionales, aunque podrían ser ensayados métodos modernos para evaluar este proceso.

Por tratarse de una especie monocotiledónea, el raquis de banano presenta una alta proporción de tejido parenquimático y un alto contenido de materiales inorgánicos y de agua, los cuales deben ser eliminados para la obtención de la fibra beneficiada, lo que produce rendimientos de pulpeo muy bajos. Sin embargo, esto se compensa ya que las fibras de raquis de banano son muy largas, por lo que se obtienen papeles de alta resistencia mecánica.

Las experiencias de entidades como la EARTH; la compañía COSTA RICA NATURAL; la Red Artesanal Santa Rosa y ARTPAPEL, para citar algunas, han demostrado que es posible comercializar diferentes productos elaborados con la fibra del raquis de banano, desde papeles para impresión y escritura hasta productos elaborados, los cuales han sido de gran aceptación en los mercados local e internacional.

Se puede afirmar que, se ha creado, implantado y posicionado en la mente de los seres humanos el concepto del "Papel de banano" o "Banana paper", y Costa Rica ha sido reconocido a nivel mundial como el país que, teniendo como primero objetivo la protección del ambiente, trató de eliminar y buscarle un uso alternativo y creativo a un desecho que se disponía principalmente en botaderos a cielo abierto o en las aguas de los ríos, con las consabidas agresiones al ambiente.

Los que conocemos al Dr. José Antonio Martínez-Ortíz, sabemos que gracias a su tesón y a su genialidad innatas, pudo luchar por una idea tan novedosa y de avanzada para un país sin cultura papelera y en la que inicialmente nadie creía; y que puso gran esfuerzo por llevar a cabo o apoyar durante casi treinta años, investigaciones científicas y sistemáticas, prácticamente sin recursos económicos y sin equipos de laboratorio.

Con respecto al futuro de la producción de papel de banano el Dr. Martínez-Ortíz considera que "en Costa Rica tenemos una fertilidad del suelo excepcional, por lo que podemos cultivar la tierra todo el año. La ingeniosidad de sus habitantes debe hacer posible desarrollar nuevas tecnologías de forma tal, que podamos dar uso a desechos y subproductos y así lograr cero desechos, es decir, utilizar la totalidad del material. De esta forma disminuiremos los costos y la contaminación. Estoy convencido que tenemos la capacidad para desarrollar nuevas tecnologías autóctonas para beneficio de toda la población y el ambiente finito que tenemos. Para hacer esto con éxito necesitamos soñar y creer firmemente que con inteligencia y dedicación podremos convertir estos sueños en realidad. De otra forma no lograremos la independencia tecnológica que nos permita alcanzar la verdadera independencia económica que tanto anhelamos para salir del subdesarrollo y dar oportunidades que les permitan salir de la pobreza a nuestros conciudadanos. El futuro de esta actividad depende del interés real que demuestren las partes interesadas; creo que esta tecnología debe desarrollarse aún más, pero que ya ha beneficiado el país con más empleo y con la producción de artículos que con anterioridad eran puramente de importación; el camino ya se ha iniciado".

A su vez, la ingeniera química Marcela Shedden manifestó que "la utilización de residuos agrícolas es muy importante para la producción de papel, pues evita la deforestación al sustituir parte de la pulpa que se fabrica a base de especies maderables. En el mundo de hoy se valora todo lo que provenga de procesos de reciclaje y del uso de desechos de toda clase. Hay que apoyar estas iniciativas".

Espero que la experiencia, los resultados y todos los esfuerzos que se describen en este libro le sirvan a todos los costarricenses para conocer y valorar el esfuerzo de muchos hombres y mujeres que desarrollan actividades científicas y tecnológicas en pro del cuidado del ambiente, del desarrollo de los pueblos y del bienestar de todos los seres humanos, con el fin único de crear un mejor entorno para nosotros y para los futuros habitantes del Planeta.

REFERENCIAS BIBLIOGRÁFICAS

Abd El-Rehim, S. A.; TARABOULSI, M. A. Mechano chemical depithing of bagasse. In: TAPPI. **Non-wood plant fiber pulping.** Atlanta, TAPPI Press, 1987. pp. 137-143. (Progress Report, 17).

Amador, G. Estudio de alternativas para el tratamiento y utilización del raquis de banano. San José, 1992. 219 p. (Licenciatura en Ingeniería Química - Universidad de Costa Rica).

Alpízar, L. M. Evaluación de la pulpa mecánica obtenida a partir de la mezcla de fibras del raquis de banano y fibras secundarias para la producción de pulpas para papeles de embalaje. San José, 1997. 160 p. (Licenciatura en Ingeniería Química - Universidad de Costa Rica).

Alquini, Y. Interpretação morfológica de *Musa rosaceae* Jacq. Curitiba, 1986. 92 p. (Mestrado em Ciências Biológicas - Universidade Federal do Paraná).

Alquini, Y. Anatomia dos órgãos em desenvolvimento de *Musa rosaceae* Jacq. (Musaceae). São Paulo, 1992. 258 p. (Doutorado em Ciências na Área de Botânica - Instituto de Biociências da Universidade de São Paulo).

Arruda, S. T.; Pérez, L. H.; Bessa Junior, A. A. A bananicultura no Vale do Ribeira: características dos sistemas de produção. **Agricultura em São Paulo**, São Paulo, 40(1): 1-17, 1993.

Atchison, J. E. Review of bagasse depithing. Reprinted from **Proc.** ISSCT, 14, 1972. pp. 1202-1217.

Atchison, J. E. Data on non-wood plant fibers. In: TAPPI. **Pulp and paper manufacture: secondary fibers and non-wood pulping.** 3.ed Montreal, CPPA/TAPPI, 1987a. V.3, pp. 4-21.

Atchison, J. E. Bagasse. In: TAPPI. **Pulp and paper manufacture: secondary fibers and non-wood pulping.** 3.ed Montreal, CPPA/TAPPI, 1987b. V.3, pp. 22-70.

Atchison, J. E. Advances in the state-of-the-art for the production of pulp and paper from non-wood plants. In: 1988 INTERNATIONAL NON-WOOD FIBER PULPING AND PAPERMAKING CONFERENCE, Beijing, 1988. **Proc.** s.L.p., s.c.p., 1988. pp. 24-49.

Atchison, J. E. New developments in non-wood plant fiber pulping: a global perspective. In: 1989 INTERNATIONAL SYMPOSIUM ON WOOD AND PULPING CHEMISTRY, Raleigh, 1989. **Proc**. Atlanta, TAPPI, 1989. p. 457.

Atchison, J. E.; McGovern, J. N. History of paper and the importance of non-wood plant fibers. In: TAPPI. **Pulp and paper manufacture: secondary fibers and non-wood pulping.** 3.ed Montreal, CPPA/TAPPI, 1987. V.3, pp. 1-3.

Aten, A.; Faune, A. D.; Ray, L. R. **Equipment for the processing of long vegetable fibers.** Rome, FAO, 1953. pp.1-22. (FAO Development Paper, 25 Agriculture).

Benatti Junior, R. **Rami:** planta têxtil e forrageira. São Paulo, Nobel, 1986. pp. 43-53.

Blanco, M. L. Beneficiamento e polpação da ráquis da bananeira "Nanicão" (*Musa Grupo AAA, "Giant Cavendish"*). São Paulo, 1996. (Mestre em Ciências, Área de Concentração: Ciencia e Tecnologia de Madeiras - Universidade de São Paulo).

Buchanan, M. A. The tannins and coloring matters. In: WISE, L. E.; JAHN, E. C. **Wood chemistry**. 2.ed New York, Reinhold Publishing, 1952. V.1, pp. 618-637. (American Chemical Society Monograph Series).

Cámara Nacional de Bananeros. **Planteamiento del sector bananero al Poder Ejecutivo.** San José, 1995. 22 p.

Chaves, M. Pulpeo mecánico de raquis de banano, pino y poró. San José, 1981. (Licenciatura en Ingeniería Química - Universidad de Costa Rica).

Cook, J. G. **Natural fibers.** 4.ed. s.L.p., W. S. Cowell, 1968. V.1, pp. 30-33. (Handbook of textile fibres).

Dahlgren, R. M. T.; Clifford, H. T.; Yeo, P. F. **The families of the monocotyledons:** structure, evolution, and taxonomy. s.L.p., Springer-Verlag Berlin Heildelberg, 1985. pp. 352-359.

Darkwa, N. A. Pulping chemical of plantation (*Musa paradisiaca* L.) pseudostems. In: 1988 INTERNATIONAL NON-WOOD FIBER PULPING AND PAPERMAKING CONFERENCE, Beijing, 1988. **Proc.** s.L.p, s.c.p., 1988. V.2, pp. 973-974.

Elazegui, T. A.; Bawagan, B. O.; Cruz, M. P. Prehydrolysis-pulping study on abaca stripping wastes. **FORPRIDE DIGEST**, Laguna, 11(1/2): 53-56, Jan./June 1982.

Esau, K. **Anatomía vegetal.** 2.ed rev. Barcelona, Ediciones Omega, 1972. pp. 236, 240, 346-362.

Escolano, J. O. Utilization of abaca for pulp and paper. **FORPRIDE DIGEST,** Laguna, 10(1/2): 12-15, Jan./June 1981.

Escolano, J. O.; Tamolang, F. N.; Villanueva, E. P. Newsprint from sugarcane bagasse and other **non-wood plant fibers. In: TAPPI. Non-wood plant fiber pulping.** Atlanta, TAPPI, 1979. pp. 117-121. (Progress Report, 10).

Escolano, J. O.; Vísperas, R. V.; Ballon, C. H. The pulping of the some Musa sp. fibers other than abaca (*Musa textilis* NEE.). In: 1988 INTERNA-TIONAL NON-WOOD FIBER PULPING AND PAPERMAKING CONFERENCE, Beijing, 1988. **Proc.** s.L.p., s.c.p., 1988. V.1, pp. 197-205.

Espinoza, M. Estudio del encolado a partir de materias primas nacionales para la obtención de papel en diversos usos en la industria. San José, 1986. (Licenciatura en Ingeniería Química - Universidad de Costa Rica).

Estudillo, C. P. FORPRIDECOM fiber-extration machine: its technological and economic advantages. **FORPRIDE DIGEST,** Laguna, 6(1): 67-68, 1977.

Fahn, A. **Anatomía vegetal.** s.L.p., H. Blume Ediciones, 1978. pp.169-178.

Fengel, D.; Wegener, G. **Wood: chemistry, ultraestructure, reactions.** 2.ed Berlin, Walter de Gruyter, 1989. pp. 207-213.

Foelkel, C. E. B.; Brasil, M. A. M.; Barrichelo, L. E. G. Métodos para determinação da densidade básica para coníferas e folhosas. **IPEF,** Piracicaba, (2/3): 65-74, 1971.

Foelkel, C. E.; Barrichelo, L. E. G. Mistura de celuloses de *Eucalyptus saligna* e *Pinus caribaea* var. *hondurensis.* **IPEF,** Piracicaba, (10): 63-75, 1975.

Francia, P. C.; Belen, L. D.; Escolano, E. U.; Villanueva, E. P. Non-wood fibers for rayon grade high alpha pulp. **FPRDI JOURNAL,** Laguna, 13(2): 25-32, Apr./June 1984.

Gallo, J. R.; Bataglia, O. C.; Furlani, P. R.; Hiroce, R.; Furlani, A. M. C.; Ramos, M. T. B.; Moreira, R. S. Composição química inorgânica da bananeira (*Musa acuminata* SIMMONDS, cultivar Nanicão. **Ciência e Cultura,** São Paulo, 24(1): 70-79, jan. 1972.

Gemtchújnicov, I. **Manual de taxonômia vegetal:** plantas de interesse econômico. São Paulo, Ed. Agronômica Ceres, 1976. pp. 268-299.

González, A.; García, O. L.; Villamil, G.. Pasta de alto rendimento a partir de bagaço de cana. **O Papel,** São Paulo, 14(9): 19-25, set. 1993.

Groot, B.; Zuilichem, D.; Zwan, R. P. The use of non-wood fibers for pulping and papermaking in the Netherlands. In: 1988 INTERNATIONAL NON-WOOD FIBER PULPING AND PAPERMAKING CONFERENCE, Beijing, 1988. **Proc.** s.L.p., s.c.p., 1988. V.1, pp. 216-222.

Hernández, C. Tratamiento de los desechos generados por el cultivo del banano. Seminario "Problemática ambiental relacionada con el cultivo del banano en Costa Rica". Limón, Costa Rica. 1990.

Hiroce, R. O aproveitamento do pseudocaule. **O Estado de São Paulo,** São Paulo, 19 mar. 1972. Suplemento Agrícola 877: p. 11.

IBGE. **Anuário estatístico do Brasil.** Rio de Janeiro, 1994. p. 132, 145.

IBGE. **Enciclopedia dos municipios brasileiros.** Rio de Janeiro, 1958. 30. pp. 20-21

ICAITI. **The prodution of pulp and paper from the stems of the fruit, pseudostems of the leaves of the banana plant, using conventional (Kraft, full soda) and non conventional process (organosolv).** Guatemala, 1988b. pp. 1-53. (Projeto: Integrated utilization of banana plant. Final Report).

ICAITI. **The prodution of fibres from the stem of the banana fruit by retting, with simultaneous generation of the effluents with a mixed culture of alge.** Guatemala, 1988a. p. 1-8. (Projeto: Integrated utilization of banana plant. Final Report).

Judt, M. Research problems in developing countries using non-woody fibres, as seen by UNIDO. In: SEAQUIST, A.J.; COBB, E.C. (Comp.). **Non-wood plant fiber pulping.** Atlanta, TAPPI Press, 1985. pp. 57-143. (Progress Report, 15).

Judt, M. The science of non-wood fibers pulp and papermaking. In: 1988 INTERNATIONAL NON-WOOD FIBER PULPING AND PAPERMAKING CONFERENCE, Beijing, 1988. **Proc.** s.L.p., s.c.p., 1988. V.1, pp. 8-23.

Kilipen, O.; OY, E. Non-wood speciality pulps. In: PULPING CONFERENCE, Boston, 1992. **Proc.** Atlanta, TAPPI Press, 1992. Book 1, p. 4753.

Knight, P. Brazil: Rinsing domestic consumption fuels output growth. **PPI,** Brussels, 30(7): 80, Jul. 1994.

Llamas, X. Mexico: investments in the pipeline, despite diminishing output. **PPI,** Brussels, 36(7): 84, Jul. 1994.

López, E. Producción de papel a partir de raquis de banano. San José, 1981. (Licenciatura en Ingeniería Química - Universidad de Costa Rica).

Marmolejo, M. R. Colombia: local producers tighten their belts. **PPI,** Brussels, 36(7): 89, Jul. 1994.

Montgomery, B. The leaf fibers. In: MAUERSBERGER, H.R. (Ed.). Matthew's textile fibers: their physical, microscopic, and chemical properties. 6.ed. New York, John Wiley, 1954. pp. 360-438.

Moreira, R. **Banana: teoria e prática de cultivo.** Campinas, Fundação Cargill, 1987. pp. 3-25, 85-107.

Oliveira, R. Produção de celulose kraft a partir de misturas de madeira de *Pinus strobus var. chiapensis* e *Eucalyptus urophylla* de origem híbrida. Viçosa, 1979. 177 p. (Magister Scientiae - Universidade Federal de Viçosa)

Patel, R. J.; Angadiyavar, C. S.; Srinivasa, Y. Non-wood fiber plants for paper making: a review. In: SEAQUIST, A. J.; COBB, E.C. (Comp.). **Non-wood plant fiber pulping.** Atlanta, TAPPI Press, 1985. pp. 77-90. (Progress Report, 15).

Pearson, J. (Ed.) Annual review: world tends and trade. **PPI,** Brussels, 35(7): 23-27, July. 1993.

Porter, L. J. Condensed tannins. In: ROWE, J. W. (Ed.). **Natural products of woody plants:** chemicals extraneous to the lignocellulosic cell wall. Berlin, Springer Series in Wood Science, 1989. V.1, pp. 651-690.

Purseglove, J. W. **Tropical crops:** monocotyledons. New York, John Wiley, 1972. V.2, pp. 343-384.

Rebouças, J. T.; Martins, M. A. L. Efeito da ação do refino nas propriedades fisico-mecânicas da polpa de sisal e outras não madeira. In: CONGRESSO ANUAL DA ABCP, 28., São Paulo, 1985. **ANAIS.** São Paulo, ABCP, 1985. pp. 149-167.

Rowe, P. R. Origen y mejoramiento genético del banano. En: DEPARTAMENTO DE INVESTIGACIONES AGRÍCOLAS TROPICALES DE LA COMPAÑÍA UNITED BRANDS. **Guía práctica para el cultivo del banano.** 1975. p. 1.

Rydholm, S. A. **Pulping processes.** 5.^{ed} New York, Interscience, 1965. pp. 578-649.

Saborío, C. M. Producción de papel y cartón a partir de raquis de banano. San José, 1981. (Licenciatura en Ingeniería Química - Universidad de Costa Rica).

Santana, M. A.; Teixeira, D. E. Uso do bagaço de cana-de-açúcar na confecção de chapas aglomeradas. In: CONGRESSO FLORESTAL BRASILEIRO, 7., Curitiba, 1993. **Anais.** São Paulo, SBS/SBEF, 1993. V.2, pp. 667-672.

Semana, J. A.; Escolano, E. U.; Francia, P. C. Proximate composition of the fibers of some Philippine banana. **FORPRIDE DIGEST,** Laguna, 7(4): 10-18, 1978.

Shedden, M. Estudio de raquis de banano (*Musa giant cavendishii* Lambert) e investigación de sus posibles usos. San José, 1978. (Licenciatura en Ingeniería Química - Universidad de Costa Rica).

Shouzu, H. China's non-wood plant fibrous raw materials and it's application for pulping and papermaking. In: 1988 INTERNATIONAL NON-WOOD FIBER PULPING AND PAPERMAKING CONFERENCE, Beijing, 1988. **Proc.** s.L.p., s.c.p., 1988. V.1, pp. 50-64.

Silva, G.; Maricato, O. Banana I. **Revista Globo Rural**, São Paulo, 9(103): 19-24, maio 1994.

Soto, M. Introducción. Seminario "Problemática ambiental relacionada con el cultivo de banano en Costa Rica". Limón, Costa Rica. 1990

Stamm, A. J.; Harris, E. E. **Chemical processing of wood.** New York, Chemical Publishing, 1953. pp. 71-72, 479-480.

Sturion, G. Utilização da folha da bananeira como substrato para o cultivo de cogumelos comestíveis *(Pleurotus spp)*. Piracicaba,

1994. 147 p. (Mestre em Ciências, Área de Concentração: Ciência e Tecnologia de Alimentos - ESALQ).

Tomlison, P.B. **Anatomy of the monocotyledons.** s.L.p., Oxford University Press, 1969. V.3, pp. 296-301, 303-315, 393-415.

Tomazello Filho, M.; Azzini, A. Variação e estrutura dos colmos de bambu (*Bambusa vulgaris* Schrad). O Papel, São Paulo, 49(12): 155-161, dez. 1988.

Torres, M. Propiedades fundamentales de la fibra de raquis de banano *(Musa giant cavendishii)*. San José, 1981. (Licenciatura en Ingeniería Química - Universidad de Costa Rica).

Tortorelli, L. A. **Madera y bosques argentinos.** Buenos Aires, ACME, 1956. 910 p.

Vísperas, R. V.; Estrellado, A. R.; Lasmarias, V. B.; Pamplona, B. S. A preliminary study on ethanol pulping of abaca fibers. **FPRDI J.**, Laguna, 13(2): 20-24, Apr./June 1984.

Vitti, G. C.; Rugeiero, C. Aproveitamento do engaço, coração e ráquis, como fonte de nutrientes. In: SIMPÓSIO BRASILEIRO SOBRE BANANICULTURA, 1., Jaboticabal, 1984. **ANAIS.** São Paulo, UNESP, 1984. pp. 392-399.

Wenzel, H. F. J. **The chemical technology of wood.** New York, Academic Press, 1970. pp. 147-149, 317.

Zhai, H.; Lee, Z.; Tai, D. Separation of fibrous cells and parenchymatous cells from wheat straw and the characteristics in soda-AQ pulping. In: 1988 INTERNATIONAL NON-WOOD FIBER PULPING AND PAPERMAKING CONFERENCE, Beijing, 1988. **Proc.** s. L.p., s.c.p., 1988. V.1, pp. 468-478.

Zhu, Y.; Pufang, C. China: more capacity under construction as new lines star up. Brussels, 36(7): 62, July 1994.

Este libro se terminó de producir
en el mes de mayo del 2008
en los talleres gráficos de
EDITORAMA S.A.
Tel.: (506) 2255-0202
San José, Costa Rica

N° 19,478